회귀 경찰의 리셋 라이프

The Reset Life

회귀 경찰의 리셋 라이프 4

초판 1쇄 발행 2021년 11월 10일

지은이 | 한길
발행인 | 신현호
편집장 | 이호준
편집 | 송영규 최종건 정재웅 양동훈 곽원호 조정범 강준석 최성화
편집디자인 | 한방울
영업 · 관리 | 김민원 조인희

펴낸곳 | ㈜ 디앤씨미디어
등록 | 2002년 4월 25일 제20-260호
주소 | 서울시 구로구 디지털로 26길 111 JnK디지털타워 503호
전화 | 02-333-2513(대표)
팩시밀리 | 02-333-2514
E-mail | papy_dnc@dncmedia.co.kr

값 8,000원

ISBN 979-11-364-2801-1 04810
ISBN 979-11-364-2581-2 (SET)

Papyrus Modern Fantasy
한길 현대 판타지 장편소설
회귀 경찰의
리셋 라이프
4
PAPYRUS
파피루스

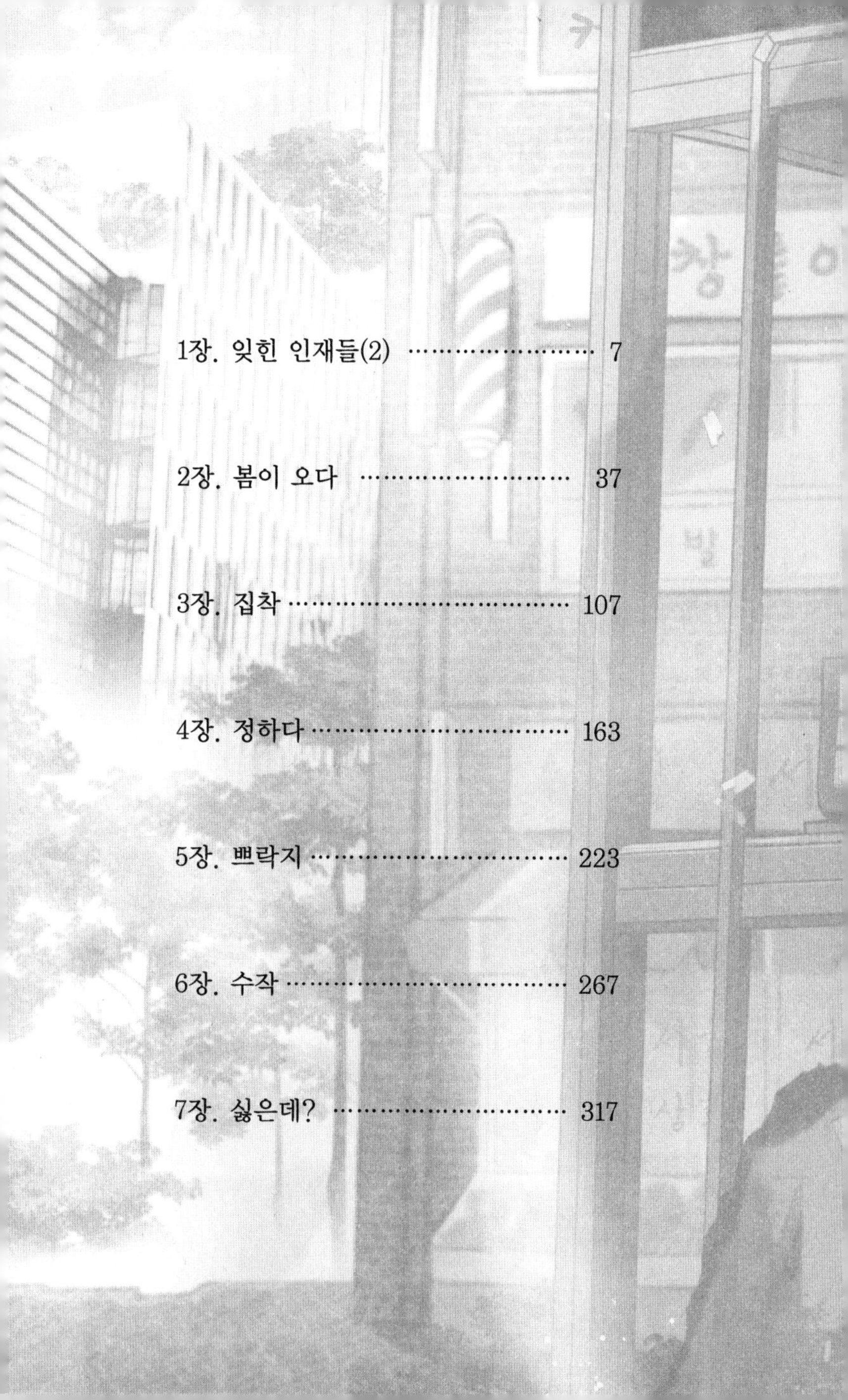

1장. 잊힌 인재들(2)

잊힌 인재들(2)

계약 날보다 하루 빠른 이른 오전의 료칸 로비.

휴식 공간의 소파에 앉아 귀에 이어폰을 낀 이치로 교수의 얼굴이 분노로 달아올라 있다.

"이게 대체……."

약속한 날보다 왜 하루 먼저 만나나 했더니 믿지 못할 대화를 듣게 되었다.

필름이 끊겨 제자에게 몹쓸 짓을 한 게 아니다.

관계는 없었고, 그냥 당한 거다.

관계를 맺었을 거라 생각했기에 그녀가 악독하게 굴어도 아무 말 못 했던 그는 지독한 배신감에 치를 떨었다.

"내가 왜 너희를 가르치려 했는데……."

그의 눈에서 후회의 눈물이 쏟아졌다.

미나미의 계략에 당한 것보다 학생들이 싫어한다는 말

이 심장을 찢는다. 한때 반항은 했어도 사람은 바뀔 수 있다고 믿었기 때문이다.

본인이 그랬기에.

더티 래빗으로 온갖 나쁜 일을 저질지만, 결국 개과천선하여 이렇게 교수가 된 것처럼.

그래서 강의 시간에 학생들이 아무리 자더라도 열정적으로 가르쳤다.

내뱉는 한마디가, 공식이, 노하우가 그들의 삶을 변화시킬 수 있을 거라고 믿으면서 말이다.

그런데.

"난 도대체 여태까지 뭘……."

종혁은 다급히 카세트테이프를 껐다.

"아마 그냥 한 말일 겁니다. 교수님의 뜻에 감화된 학생이 더 많을 겁니다."

"……."

'쯧.'

글렀다. 지금 이치로 교수에겐 아무런 말도 들리지 않는다.

종혁은 화제를 돌리기로 했다.

"그보다, 왜 학장이 교수님을 감시한 건지 짐작 가는 게 있습니까?"

"……모르겠습니다."

"잘 생각해 보십시오. 분명 무슨 마찰이 있었을 겁니다."

그렇지 않다면 학장이 그를 감시할 이유가 없다.
한참을 생각하던 이치로 교수는 다시 고개를 저었다.
"굳이 있다면 학장이 말을 들어주지 않기에 총장에게 최신형 컴퓨터를 구매해 달라고 건의를 넣은 것 정도뿐입니다. 그동안 개발한 것들도 모두 대학에 귀속시켰는데 이 무슨……."
"연구를요?"
"대학 레벨이 낮다 보니 연구비 지원이 적기에 다 시시한 결과뿐이었습니다."
예산이 없기에 퀄리티가 적은 결과물만 나오는 악순환.
열정만으로 버티던 것도 이젠 한계였다.
이사장의 대학 건립 이념이 이치로 본인과 같아서 이 대학을 선택하긴 했지만 이제 더 이상은 무리였다.
이런 이치로 교수의 푸념을 들은 종혁은 미간을 좁혔다.
'굳이 이 대학을 택한 이유가 이거였군.'
같은 뜻을 지닌 동지가 있기 때문이었다.
"아, 죄송합니다. 못 들은 걸로 해 주십시오."
마음이 흔들리다 보니 하지 말아야 할 말을 해 버리고 말았다.
"괜찮습니다. 충분히 이해합니다."
'그렇기는 한데…….'
이야기를 듣자 더 오리무중에 빠졌다.

"이거 학장 뒤를 캐 봐야 하려나."
그래야 명확해질 것 같다.
하지만 문제는 여기에 선이 없다는 점이다.
그런 종혁의 한국어 혼잣말을 들은 이치로 교수는 묘한 눈빛을 지었다.
"대체 저를 돕는 이유가 뭡니까? 왜 이런 걸 알려 준 겁니까?"
권&박 홀딩스로서는 프로그램만 사면 그만이다.
'아차!'
방금 전까지 일본어로 대화했기에 순간 그의 조부모가 한국인이었다는 사실을 잊었다.
하지만 이미 디뎌 버린 걸음이다.
동요를 가라앉힌 종혁은 의미심장한 표정을 지었다.
"아직도 모르시겠습니까?"
흠칫!
이치로 교수의 몸이 흔들렸다.
종혁의 그 말에 눈치를 채 버렸다.
종혁은 쐐기를 박았다.
그는 이치로 교수가 가져온 하드 드라이브를 검지로 두드렸다.
"전 이런 껍데기가 아니라 알맹이인 당신을, 무한한 가능성을 가진 당신을…… 원하는 겁니다."
뜨겁다. 부담스럽다.
생애 처음으로 들어 보는 동성의 구애다.

그것도 무척이나 뜨거운 눈길로 보내는 구애다.

하지만.

이치로의 마음은 더욱 크게 흔들렸다.

“이, 이런 계략에도 속는 바보를 말입니까?”

종혁은 피식 웃었다.

“방금 말하셨죠. 지원이 적어서 그런 것만 만들었다고. 하지만 무한대의 지원이 당신에게 주어진다면?”

‘디도스를 막아 낼 보안 프로그램을 만들 수 있겠지.’

종혁의 눈이 더 뜨거워진다.

“아.”

‘무한대의 지원?’

저 말이 사실이라면 그동안 구상만 하던 걸 모두 만들 수 있다.

“특허 지분도 원하는 만큼 드리죠.”

이제 그의 마음은 풍랑을 맞은 듯 휘몰아쳤다.

“저는…….”

“잠시.”

종혁은 그의 입을 막았다.

“자문님?”

“그 결정은 이번 사건의 내막이 완전히 밝혀진 뒤 내려 주시죠.”

“대체 왜……?”

종혁이 쉴 틈을 주자 정신이 번쩍 들었지만, 이해가 되지 않았다.

"당신에겐 너무 좋은 상황이었는데……."

"그래야 교수님 마음에 한 점의 미련도 남지 않을 테니까요."

이치로 교수는 눈을 질끈 감았다.

'이 남자는 정말!'

감긴 그의 눈에 눈물이 찔끔 고였다.

잠시 후 다시 뜨인 이치로 교수의 눈은 빛나고 있었다.

"방법이 있겠습니까?"

종혁은 피식 웃었다.

"이 세상 돈으로 안 되는 게 있던가요?"

이치로 교수는 머리를 모로 기울였다.

* * *

붉은색의 커다란 토리이 너머로, 위는 하얀색, 아래는 빨간색 옷을 입은 무녀 한 명이 어딘가로 향한다.

수호의 눈이 빨개졌다.

"무녀다. 내가 이 두 눈으로 무녀를 직접 보다니! 애들아, 가자! 소원 부적 쓰고 운세 뽑아야 해!"

그렇게 외친 수호는 재빨리 달려갔고, 소영은 한심해했다.

"하여튼 쟤는."

"왜. 의욕 없는 것 보단 훨씬 낫잖아. 그리고 하네코 씨가 말하길 여기 운세 뽑기가 제법 잘 맞대."

"운세?"

"학업운이라든지 금전운, 오늘의 행운 같은 거?"

"연애운도?"

"그렇겠지?"

순간 눈빛이 달라진 소영은 크게 발을 내디뎠다.

"나 수호 길 잃기 전에 잡으러 갈게!"

"저기 큰 방울이 달린 곳에서 보자."

"응!"

종혁은 멀어지는 소영을 보며 피식 웃고는 몸을 돌렸다.

그런 그에게 아까부터 시선을 보내던 모자를 쓴 사내가 다가왔다. 볼에 흉터가 있는 험한 인상의 사내.

"요시다 인력이십니까?"

"저희 요시다 인력을 이용해 주셔서 감사합니다. 여기 있습니다, 사장님."

그가 내민 두툼한 서류를 받아 들어 내용을 살핀 종혁은 눈을 빛냈다.

"……이것 봐라?"

꽤 흥미로운 이야기들이 적혀 있다.

반나절도 안 되어 이 정도의 내용을 조사한 걸 보니 역시 요시다 인력답다고 할 수 있었다.

미래 일본 경찰 지인을 통해 알게 된 요시다 인력.

한국의 심부름센터라 할 수 있는 곳이다.

종혁은 아침에 찾은 백만 엔 다발을 꺼내어 내밀었다.

얼굴이 활짝 핀 사내는 허리를 깊이 숙였다.
"도움이 필요하실 땐 언제든 요시다 인력을 찾아 주십시오!"
종혁은 떠나는 그를 바라보며 눈을 가늘게 떴다.
"키타무라 유이치."
이치로 교수가 재직하는 공과대학의 학장.
자료를 보니 꽤 흥미롭다.
특히 소비 부분이.
"견적 나오네."
견적이 나오면 바로 설계에 들어가야 했다.
그것도 법의 테두리 안에서.
법을 위반하는 건 요시다 인력을 이용하는 걸로 충분했다.
그는 손가락을 딱 튕기며 이치로 교수에게 전화를 걸었다.
"예, 교수님. 부탁 하나 해도 될까요?"
무얼 꾸미는지 종혁의 입매가 뒤틀어졌다.
이치로 교수에게 무언가를 부탁하고 전화를 끊은 종혁은 큰 방울이 달린 곳으로 향했다.
"왜 이렇게 늦었어? 응? 뭐 좋은 일 있어?"
"아니, 재밌는 걸 봐서. 그러는 넌?"
"난 뭐……."
겨우 외운 단어로 어찌어찌 연애운을 뽑긴 했는데, 내용이 죄다 일본어라 무슨 내용인지 알 수가 없었다.

그녀는 바지 주머니를 두드렸다.

'한국 가서 번역해야지!'

"종혁아! 마녀! 우리 소원 빌자!"

"그래!"

수호는 소원 비는 방법에 대해 설명했고, 세전함에 동전을 넣은 셋은 가슴 앞에 손을 모았다.

'부디 연애운이 좋게 나왔기를!'

'머리가 좋아지기를! 종혁이처럼 멋지게!'

'어머니가 언제나 행복하고 건강하길. 그리고 이번 일이 잘 마무리되길.'

셋은 각기 다른 소원을 빌었다.

* * *

다음 날, 아침.

이틀간 여러 곳을 돌아다녔던 게 고됐는지 뻗어 버린 둘의 모습에 다행이라 생각한 종혁은 다시 미나토 대학을 찾았다.

아직은 9시. 오늘 강의는 10시부터 시작이라 조용한 공과대학 입구. 크로스 백을 맨 채 초조하게 떨던 이치로 교수가 눈을 크게 떴다.

"자문님!"

"좋은 아침입니다, 교수님. 행정관에선 사람이 왔나요?"

행정관이란 말에 이치로 교수가 펄쩍 뛴다.

"정말 저희 대학에 투자를 하시려는 겁니까? 죄송하지만 저희 대학은 투자할 가치가 없습니다!"

이사장의 건립 이념과 생각에 끌려 재직하는 교수가 많을 뿐, 결국 삼류 대학이다.

"설마 이게 자문님이 말한 '돈이면 안 되는 건 없다'입니까?"

종혁은 여러 가지 방법을 생각했었다.

키타무라 유이치가 절대 가 보지 못한 곳에서 접대하며 떠볼지, 요이치 인력을 계속 써서 불법적으로 증거를 수집할지, 아니면 일본에 공학 계열의 회사를 세우고 미나토 공과대학과 연계를 추진할지 등 많은 방법을 생각했다.

하지만 이 방법이 가장 좋고 가장 빨랐다.

"삼류 대학이라. 글쎄요."

어젯밤 다시 요시다 인력을 통해 이 대학에서 쓰는 전공서 몇 개와 필기 노트, 강의 내용 녹화본을 살펴본 후, 종혁은 표정이 묘해졌다.

"투자할 가치가 있는지 없는지는 지켜보면 알 일이죠."

"자문님!"

이치로 교수는 본인 때문에 막대한 돈을 쓰레기통에 처박으려는 종혁의 모습에 미칠 것 같았다.

"걱정 마십시오. 교수님이 생각하는 그런 방향의 투자는 아니니까."

연구에 관한 투자가 아니다.

"하아. 정말 당신은…… 아, 그런데 이건 왜?"

이치로 교수는 크로스 백을 두드렸고, 종혁은 하하 웃었다.

"그건 좀 있으면 알게 될 겁니다. 그보다 좀 늦는 것 같군요. 일본인이 약속 시간에 늦다니. 의외……."

"어머?"

고개를 돌린 종혁은 좁혀지려는 미간을 얼른 폈다.

"흐음. 어제 약속을 깨더니……."

이 남자와 있었냐는 미나미의 눈빛에 종혁은 치솟는 화를 애써 누르며 웃었다.

종혁은 어제 갑자기 음성 메시지로 약속을 미루자 연락했다.

만날 이유가 사라졌기 때문이다.

"미안합니다. 일이 바빠서."

"……됐어요."

종혁과 이치로 교수를 번갈아 본 미나미는 이치로 교수가 헛소리를 하기 전에 물러나기로 했다.

'어차피 전화번호는 있으니까!'

그녀는 본인이 연락하기로 마음먹으며 공과대학으로 향했다.

"만나실 건가요?"

"그럴 리가요. 교수님도 앞으로 볼 일이 없어질 겁니다."

"네? 그게 무슨……."

또각또각!

묘하게 귓가를 울리는 구둣발 소리에 고개를 돌리니, 작은 체구지만 정정한 걸음의 칠십대 노파가 다가오고 있다.

'설마 저분인가?'

종혁이 원한 행정부장이 아니라 이사급이다.

종혁은 당황했지만, 이내 오히려 다행이라고 생각했다.

'아니, 이사라면 이보다 좋을 수 없지!'

앞으로 벌어질 한 편의 활극에 딱 어울리는 등장인물이다.

물론 허튼짓만 안 한다면 말이다.

종혁은 그녀의 성향을 살피기로 했다.

"늦어서 죄송합니다. 오랜만이에요, 야마노구치 교수."

"……허억! 이, 이사장님?!"

'뭐?'

종혁도 놀랐다.

'이사장은 또 왜 튀어나와?!'

생각지도 못한 사람의 등장에 종혁은 경악하고 말았다.

* * *

"처음 뵙겠습니다. 이사장 이시하라 케이코예요."

노인의 고개 숙인 인사에 종혁은 재빨리 정신을 수습했다.

"권&박 홀딩스와 행복의 쉼터 재단의 최종혁입니다. 훌륭한 생각을 가진 분을 만나 뵙게 되어 영광입니다."

행복의 쉼터. 가출 청소년 쉼터를 설립한 재단의 이름이다.

"저보다 훌륭한 생각을 가지신 분의 사원이 추켜세워 주시니 쑥스럽군요. 제 대학에 유학생을 보내고 싶다고요?"

이시하라 케이코의 눈이 가늘게 뜨였다.

그녀도 본인이 만든 대학이 어떤 취급을 받는지 알고 있었다.

좋은 취지로 대학을 설립하고 그 취지를 따라 줄 교수들까지 많이 모집했지만, 결국 학생들이 따라 주지 않았다.

일본 유수의 명문이 되고 싶었지만, 결국 삼류가 되어 버렸다.

그렇게 20년. 나아지기는커녕 계속 더해 가는 대학 안팎의 악평에 그녀도 지치고 있었다.

그 많던 재산도 이제 바닥을 드러내고 있었기에 폐교도 생각을 하고 있었다.

이런데 한국에서 유학생을 보낸다? 굳이?

"일본이나 한국에서 취직을 생각하면 다른 대학도 많은데 왜 하필 제 대학을 택하신 거죠?"

그녀의 눈이 빛난다.

건립 이래 처음 있는 일이기에 그녀는 직접 나섰다.

혹시나 자신의 뜻을 알아주는 지원군인가 싶어서.
정말이라면 마지막 열정을 피우고 싶어서.
'이분도 직설적이군.'
하지만 그렇기에 왜 이사장이 직접 행차했는지 알 것 같다.
'의심하고 있어.'
사기가 아닌지 의심하는 거고, 믿을 사람이 없어 직접 나선 게 분명했다.
그렇게 오판한 종혁은 신색을 바로 했다.
"그 이야기는 일단 앉아서 차분히 나누는 게 어떻겠습니까?"
"……좋아요. 학장실로 가죠."
셋은 공과대학의 학장실로 향했다.

* * *

공과대학 학장실, 전원이 켜진 컴퓨터 앞에 앉은 키타무라 학장이 누군가와 통화하고 있다.
"어. 그 연구비 예산은 평소처럼 내 차명 계좌에 넣어 놓고……."
똑똑!
"아, 벌써 약속 시간이군. 끊지. 들어와!"
유학생 프로그램 제의 및 투자. 그걸 공과대학에서 하고 싶다는 말에 굉장히 기대했던 그였다. 그는 얼른 엑셀

파일과 컴퓨터를 껐다.

하지만.

끼익!

키타무라 학장은 오라는 사람은 안 오고 이상한 놈이 들어오자 얼굴을 와락 구겼다.

"후우. 이치로, 곧 약속이 있으니까 나가. 너 따위가…… 이, 이사장님?!"

높아 봐야 행정부장이 올 거라 생각해서 막말을 던졌던 키타무라 유이치는 뒤이어 들어오는 사람에 기겁하며 일어섰다.

종혁은 그런 그를 보며 눈을 빛냈다.

'이제 다 모였군.'

이사장이란 이레귤러가 끼어들긴 했지만, 이 판의 등장인물이 모두 모였다.

종혁은 튀어나오려는 웃음을 겨우 삼켰다.

"오랜만이에요, 키타무라 학장."

서늘한 그녀의 눈빛에 키타무라 학장은 재빨리 시선을 피했다.

"예, 예! 이, 이쪽으로."

학장은 '어떻게 너 따위가 이사장님과 함께 오는 거냐' 하는 눈빛으로 이치로 교수를 노려봤지만, 이치로 교수는 애써 무시했다.

상석에 앉은 이사장이 종혁을 봤다.

일본인답지 않게 조급함을 드러낸다.

종혁은 시간을 더 끌지 않기로 했다.

"여기 이치로 교수님이 그러더군요. 한때 방황하던 아이들이라도 충분히 변화시킬 수 있다, 그게 이사장님의 대학 건립 이념이자 생각이다, 이 대학엔 이사장님의 그런 이념에 모인 교수가 많다."

"아!"

이사장의 시선을 받은 이치로 교수가 다급히 손을 저었고, 키타무라 학장의 미간은 구겨졌다.

종혁은 놀부 같은 인상의 학장에 속으로 혀를 차며 말을 이어 갔다.

"저희 재단 이사장님이신 권회수 님의 생각도 같습니다. 지금은 방황하더라도 인생을 실패한 건 아니다. 인생은 언제든 계획할 수 있다."

"한국에도 이런 훌륭한 생각을 가진 분이 계시다니!"

혹시는 역시였다.

괜히 가출 청소년 쉼터를 운영하는 게 아니었다.

학생을 돈으로 보지 않는 교육관.

"하지만 방황을 오래하게 되면……."

"기초가 부족해지죠!

"좋은 대학에 가고 싶어 하는 아이들도 있을 테지만, 얼른 취업을 하고 싶어 하는 아이들도 있을 테니까요."

"그런 아이들에게 타국 유학은 유니크한 커리어고!"

맞다. 종혁은 이치로 교수를 위해 이 판을 짜면서도 저변에 이런 생각도 가졌다.

생각을 고쳐 먹을 아이들을 위한 유니크한 스펙 만들기.
이 시기는 아무리 낮은 레벨의 대학이라도 해외 유학이면 먹힐 시기이다. 미래엔 그 수가 너무 많아져서 골치지만, 지금은 너무도 희귀한 유학파.
다만 이 대학을 선택한 것은 아닐 뿐이었다.
'생각한 것보다 형편없다면 그냥 철회를 하려고 했는데.'
취할 것만 취하고 철회할 생각이 90퍼센트였다.
'교수님의 말이 진실이었다니…….'
그냥 소속 대학을 칭찬하는 거라고만 생각했던 종혁으로선 놀랄 수밖에 없었다.
이러면 생각을 달리할 수밖에 없다.
이런 교육관을 아직까지도 가진 사람이 이사장이라면, 믿을 만하다. 뜻을 펼치도록 지원을 하면 되니 말이다.
솔직히 미나토 대학의 전공서가 수준이 제법 높으면서도 기초까지 세심하게 가르치기에 어느 정도 마음이 기운 점도 있었다.
졸업생 필기 노트와 강의 내용이 그렇게 말해 주고 있었다.
생각을 정리한 종혁은 그녀의 마음을 얻기 위한 마무리를 위해 입을 열었다.
"그것을 위해 일 년에 최대 오억 엔 정도 생각하고 있습니다."
"……오, 맙소사! 그렇게 많은 돈을 쓰신다니!"

1년에 5억 엔이면 그녀의 부담도 많이 줄어든다.
아니, 급한 불을 모두 끌 수 있다.
"이건 하늘이 이어 준 인연일까요?"
종혁은 눈을 빛냈다.
기다리던 키워드가 튀어나왔기 때문이다.
"그렇다면 이치로 교수님에게 감사해야겠군요."
"네?"
"이분이 개인적으로 개발한 어떤 것 때문에 출장을 왔다가 이 대학의 정체성을 알게 됐으니 말이죠."
"개발?"
"흠. 이미 철저히 알아보고 계약을 맺었으니 알려 드리죠. 휴대전화의 통화 내역이나 문자를 모두 탐색하고, 오래전에 삭제한 것까지 복구하는 프로그램입니다. 포맷한 컴퓨터까지 말이죠."
"호오?"
이사장은 완전히 이해하지 못했지만, 그래도 삭제한 전화번호나 문자를 복구한다는 대목이 그녀의 흥미를 끌어냈다.
"정말인가요? 그런 프로그램이 있나요?"
종혁은 씩 웃었다. 이제 다 왔다.
"한번 확인해 보시겠습니까? 이치로 교수님이나 제 건 객관성이 없으니…… 아, 학장님, 휴대전화 좀 빌려주시겠습니까?"
"음?!"

왜인지 종혁과 이치로 교수를 못마땅하게 쳐다보던 학장은 당황했다.

"무, 무슨!"

종혁의 말이 사실이라면 절대 내어 줄 수 없다.

"내가 왜 그래야 하는 거지?!"

"방금 말했다시피 저나 이치로 교수 건 객관성이 없고, 이사장님 건…… 하하."

맞는 말이다. 하급자로서 상급자의 것을 이런 일에 이용할 수는 없다. 키타무라 학장은 다급해졌다.

"흥! 너희가 뭔 짓을 저지를지 알고!"

"설마요. 무슨 이득이 있다고요. 아, 확실히 휴대전화는 사생활이군요. 그럼 저 컴퓨터는 어떻습니까? 공무에 썼을 테니……."

"헛소리!"

키타무라 학장은 펄쩍 뛰었다.

컴퓨터는 더더욱 보여 줄 수 없었다.

특히 이사장이 있는 이 자리에선 절대로.

"그러다 중요한 문서라도 사라지면 책임질 거냐!"

"정 못 미더우시면 백업하면 될 텐데…… 흠."

종혁은 이사장을 봤다.

이사장은 갈등에 휩싸였다. 학장이 반발하니 조금 꺼림칙해졌다.

하지만 5억 엔이 눈앞에 아른거렸다.

불씨만 남은 옛날의 열정을 다시 태울 장작.

“해 봐요, 학장. 혹여 잘못돼도 내가 책임질게요.”
“이사장님!”
“어차피 중요 문서는 다 서버에 저장되지 않나요?”
“하, 하지만!”
‘흠?’
이사장의 눈이 가늘게 뜨였다.
이사장이 이렇게 부탁하는데도 반발하는 걸 보니 뭔가 이상했다.
“뭔가 사라진다면 내가 책임지죠.”
“아, 안 됩니다! 절대…… 안 됩니다!”
“흠. 나한테 숨기는 게 있나요? 가령…….”
“이사장님!”
학장이 어떻게 그런 말을 할 수 있냐 억울함이 가득한 눈을 부릅떴지만, 이사장의 의심은 더욱 짙어졌다.
“아니면 내 의심이 더 짙어지기 전에 열어요. 당장!”
“……이익!”
돌연 키타무라 학장이 컴퓨터를 향해 달려갔다.
“읏챠!”
종혁은 재빨리 테이블을 뛰어넘어 그의 뒷덜미를 낚아채며 다리를 걸었다.
쿠웅!
“크악! 허, 허리! 아악! 놔!”
몸을 뒤집고 팔을 꺾어 누른 종혁은 다시 이사장을 봤다.
“어떻게 하시겠습니까?”

"……이치로 교수."

'이거였어!'

돌아가는 상황을 파악한 이치로 교수가 식겁하며 종혁을 봤다.

'이것 때문에 이걸 가져오라고 했던 거였어!'

그랬다. 종혁이 택한 방법이 바로 이거였다.

합법적으로 학장의 휴대전화와 컴퓨터를 뒤져 볼 수 있는 설계.

이치로 교수의 몸이 딱딱하게 굳었다.

그는 떨리는 손으로 크로스 백에서 하드 드라이브를 꺼냈다.

디지털 포렌식이 저장되어 있는 하드 드라이브를.

"안 돼! 놔아–!"

* * *

"이, 이건?"

락은 순식간에 뚫렸다. 이후 키워드를 입력한 이치로는 모니터에 뜬 파일들과 휴대전화 문자에 눈을 부릅떴다.

하지만 아무리 봐도 내용은 달라지지 않았다.

이치로 교수의 뒤에 서 있던 이사장은 다리에 힘이 풀려 주저앉았다. 도저히 믿지 못할 내용들.

종혁은 입맛을 다셨다.

'보지 않아도 알 것 같구먼.'

연구비 착복 등 횡령일 게 분명했다.

이런 일을 한두 번 보는 게 아니었다.

"어떻게 내 학교에서 이런 일을……."

하얗게 질린 그녀는 죽일 듯 키타무라 학장을 노려봤다.

엎어진 채 양팔과 다리가 묶인 키타무라는 모든 게 끝났음을 직감했다.

"이치로! 네가 감히 날 배신해?! 역시 조선쥐를 거두는 게 아니었어!"

"배신? 배신이라고?!"

이치로 교수가 달려와 발을 들었다.

식겁한 종혁은 학장의 턱을 까려는 이치로 교수를 몸으로 막았다.

"진정하십시오, 교수님!"

"놔! 놓으세요! 저 자식이! 저 개자식이-!"

'으아아!' 하고 소리를 지른 이치로 교수는 방 안의 물건을 때려 부수기 시작했다.

그에 종혁은 한 번 더 경악했다.

'사람 좋은 교수님이 왜 이렇게 화를?'

이치로 교수 같은 일본계 한국인의 금기어가 조선쥐이지만, 너무 화를 내고 있다.

모니터를 본 종혁은 단숨에 이해했다.

그리고 이치로 교수를 막은 걸 후회했다.

"어떻게 내 연구를! 내 연구를!"

지난 세월, 대학과 학생을 위해 개발했던 연구 결과물

들이 모두 미나토 대학이 아니라 키타무라 학장의 이름으로 되어 있었다.

혐한 우익이 끔찍이 싫어하는 재일한국인의 연구를 도둑질한 거다. 그리고 그런 이치로 교수를, 돈줄을 놓치지 않기 위해 미나미를 고용한 것이었다.

'이거였구나.'

훗날 이치로 교수가 한국에 온 이유가.

무슨 일을 겪었는지 끝까지 말하지 않은 이유가.

이치로 교수는 너무 처절하게 당했다.

뿌드득!

"죽자."

이번엔 종혁이 키타무라 학장을 향해 달려들었다.

삐용삐용.

"내가 뭘 잘못했는데! 대일본인이 조선쥐를 부린 게 죄냐!"

한쪽 볼이 부푼 키타무라 학장은 끌려가면서도 당당했다.

"살려 주세요! 난 시킨 대로 한 죄밖에 없단 말이야! 이치로 교수님!"

울며 끌려가는 미나미와 정반대였다.

"저 개새끼가 끝까지!"

종혁은 달려들었고, 식겁한 경찰들이 몸으로 막았다.

"진정! 진정하세요!"

"막아!"

또각또각!

한바탕 실랑이가 벌어지는 그들 사이로 이를 악문 이시하라 케이코 이사장이 파고들었다.

그녀는 키타무라 학장 앞에 서며 활짝 웃었다.

"흥!"

이미 끝난 판이기에 키타무라 학장은 코웃음을 쳤다.

뻔뻔한 그의 모습에 그녀의 미소가 한층 더 짙어졌다.

"난 지금부터 내 경시청 친구들에게 연락을 할 거야, 키타무라 군."

경시청.

한국으로 치면 거의 경찰 본청 같은 곳인데 권한은 더 강하다.

이 일본에서 경시청의 말은 곧 법인 수준이다.

"흡?!"

"그리고 이 일본에서 가장 악독한 변호사를 고용해 손해배상을 청구할 거야. 네 가족들을 거리로 쫓아낼 거야. 그리고……."

이사장은 키타무라에게 얼굴을 들이밀었다.

"야쿠자도 고용할 거야. 교도소 생활이 참 좋아지겠지? 응? 키타무라 군."

덜컥!

뻔뻔하던 얼굴이 겁에 질린다.

"이, 이사장님. 저, 저는……."

"감히 내 학교를, 내 이념을 더럽혀? 내 남은 돈, 인맥 모두 널 파멸시키는 데 쓸 테니 기대해도 좋아. 키타무라 유이치 씨.”

“이, 이사장님! 이사장님!”

“내 눈앞에서 치워 줘요.”

“이사장님!”

‘오우. 성격 있으신데?’

거리가 멀어 들리진 않지만, 파랗게 질려 가는 얼굴과 축축하게 젖어 가는 바지를 보니 속이 다 후련했다.

그건 이치로 교수도 마찬가지인 것 같았다.

이치로 교수는 종혁에게 고개를 숙였다.

“고맙습니다, 자문님.”

일을 마치고 다가온 이사장은 미안해 죽을 것 같은 표정을 보였다.

“아니요. 제가 한 게 있나요.”

정말 고마운 건 하네코였다.

미나미를 목격한 순간 보였던 그녀의 반응이 아니었다면 종혁은 미나미를 대하는 데 망설였을지도 모른다. 그럼 여기까지 오는 데 꽤 시간이 걸렸을 거다.

그녀가 굴린 눈덩이가 여기까지 커진 거다.

‘역시 이 남자는…….’

모든 걸 다했으면서도 겸손한 모습을 보인다.

이치로 교수는 마음을 완전히 정했다.

“죄송합니다. 한국은 못 갈 것 같습니다.”

움찔!

“끙. 그런가요…….”

말을 물가에 데려가도 물은 먹일 수 없다.
왜 이런 선택을 했는지 이해가 되지 않지만, 이치로 교수의 선택이다. 아쉽지만 존중할 수밖에 없었다.
"어쩔 수 없군요. 알겠습니다."
한국에도 이걸 발전시켜 줄 인재들이 있으니, 종혁은 그들을 끌어들이기로 했다.
"그, 그게 아닙니다!"
"음?"
"여기서! 이 일본에서 완성시키겠습니다! 그리고 당신의 아이들을 가르치다 제 후임을 키운 후에 한국으로 넘어가겠습니다!"
"이치로 교수?"
"아?"
종혁의 눈이 동그랗게 떠졌다.
"쉼터의 아이들을 잘 키울 사람이 필요하잖습니까?"
"……교수님."
설마 이런 선택을 할지 몰랐던 종혁으로선 감동을 받을 수밖에 없었다.
이치로 교수가 장난스럽게 웃었다.
"무한대의 지원, 아직 유효하죠?"
"허……."
종혁은 하늘을 보았다.
구름 한 점 없는 화창한 하늘이 망막에 맺혔다.
종혁은 이치로 교수의 손을 꼭 잡았다.

이치로 교수라면 믿을 수 있다.

디지털 포렌식 업그레이드도.

쉼터의 아이들을 맡기는 것도.

"부탁드리겠습니다."

"걱정 마십시오."

지켜보던 이사장은 너무도 미안한 이치로 교수가 떠나지 않는 것에 가슴을 쓸어내리며 두 남자의 뜨거운 모습을 흐뭇하게 바라봤다.

그렇게 그날의 오전이 지나갔다.

"아, 혹시 여유가 된다면 다른 사람도 지원해 줄 수 있겠습니까?"

료칸으로 갈 준비를 하던 종혁이 그를 봤다.

"교수님의 추천이면 얼마든지 지원해야죠. 누굽니까?"

예정에 없던 지출이지만, 이치로 교수에게 주는 선물 정도로 생각하면 되었다.

"하나 있는 아들이 교통사고로 죽은 후 홀로 차량용 영상저장장치를 개발하는 사람이 있습니다. 도움이 간절히 필요합니다."

"예?"

'어, 잠깐?'

아주 익숙한 장치이다.

"브, 블랙박스?!"

종혁은 경악했다.

2장. 봄이 오다

봄이 오다

차량용 영상저장장치. 일명 블랙박스.

이 블랙박스가 보급화되면서 범인 검거율이 급상승했다.

거리와 골목의 CCTV, ATM CCTV, 일반 음식점의 CCTV에, 차량용 블랙박스가 추가되면서 사각 편대를 이뤘고, 그 어떤 범죄자도 빠져나갈 수 없는 거미줄이 만들어졌다.

'이걸 개발한 사람이 일본인이었다니.'

몰랐던 종혁으로선 혀를 내둘렀다.

"슴슴했지?"

"응. 모양만 이쁘지, 맛은 좀 그렇더라."

종혁은 소영과 수호를 바라보며 헛웃음을 흘렸다.

이시하라 케이코 이사장이 고맙다고 대접한 진짜 가이

세키 요리를 맛본 둘이 돈 아깝다며 투덜거린 탓이었다.

'거기가 150년 전통의 요릿집인 건 알고 있는 건지.'

간장에 조린 무 하나조차도 요리로 승화시켰던 섬세한 정성.

일식의 정수.

회귀 전, 위를 들어내며 음식을 거의 못 먹게 됐기에 김밥 한 조각을 먹더라도 보다 맛있는 걸 찾았던 종혁으로선 행복한 시간이었다.

돈이 아까운 건 오히려 이 둘을 보고 할 말이었다.

"하긴."

솔직히 자극적인 맛을 좋아하는 십대의 입맛엔 맞지 않을 맛이었다.

'그냥 그런 데 가 봤다는 걸로 만족해라.'

훗날 소영과 수호가 어떤 직업을 가지게 될지 모르지만, 그때 그런 곳에 가서 버벅거리지 않을 경험을 쌓았으니 값어치는 했다고 봐야 했다.

"그런데 교토까지는 안 따라와도 되는데."

종혁은 블랙박스 개발자인 키타라 쿠니히로를 만나러 교토에 가야 한다. 하지만 비행기로 잠깐 다녀오면 그만이었다.

지금처럼 새벽에 출발해 점심 전에 돌아오면 첫 해외여행 마지막 날인 오늘의 스케줄을 완벽하게 마무리할 수 있었다.

그리고 내일 떠나면 됐다.

"종혁아! 서운하게 그런 말 하면 안 돼! 우리가 보통 친구야?!"

"맞아! 친구끼린 어디든 함께하는 거야!"

종혁은 눈을 가늘게 떴다.

"돈 떨어졌냐?"

"……응."

"일본 물가 비싸."

"에라이."

예쁘다고 아무거나 막 산다 싶었다.

소영은 주로 옷이나 액세서리 등 패션 아이템을, 수호는 게임이나 포스터, 만화, 열쇠고리를.

첫 해외여행이라고 들떠 식비와 교통비 등의 경비 빼고 다 써 버린 거다.

종혁은 만 엔 두 장을 내밀었다.

"한국 돌아가면 갚아. 이자는 10퍼센트다."

"감사합니다."

"사랑해, 종혁아."

소영이 흔들리는 눈으로 종혁의 손을 꼭 잡았다.

"개수작 부리지 마라. 이자 안 깎아 준다."

"……칫."

수호도 혀를 찼다.

그들은 그렇게 일본에서 천년의 고도라 불리는 교토로 향했다.

* * *

약속 장소는 그의 집이었다.

차고가 있는 주택이었는데, 신기하게도 자동차가 없었다.

“오는 길에 본 카페에서 놀고 있어. 금방 끝날 거야.”

종혁은 벨을 눌렀다.

띵동! 띵동!

“……음? 안 계시나?”

약속 시간보다 15분 일찍 도착하긴 했지만, 사람의 인기척이 없으니 당황스러웠다.

그때였다.

부스럭! 부스럭!

면바지에 셔츠를 입은 사내가 비닐봉지를 든 채 다가오고 있다.

그러다 종혁, 아니, 수호를 발견하곤 딱딱하게 굳어 버렸다.

촉이 선 종혁은 그에게 다가갔다.

“키타라 쿠니히로 씨?”

“……아, 이치로가 말한.”

“한국의 권&박 홀딩스의 최종혁입니다.”

“요젠 르네상스 반도체의 키타라 쿠니히로입니다. 한국 이름은 정수찬입니다.”

종혁은 화들짝 놀랐다.

"재일 교포셨습니까?"

"아니요. 열두 살 때 부모님을 따라 이민을 왔습니다. 지금은 한국어가 어색하니 부디."

"아, 예. 그럼 키타라 씨로 지칭하면 되겠습니까?"

"정수찬으로 충분합니다."

둘은 명함을 나눴다.

종혁으로선 처음 듣는 이름이지만, 일본에선 반도체 기업 순위 3위의 제법 인지도 있는 회사다.

'총괄 매니저?'

이제 사십대 초반으로 보이는데 총괄 매니저이다.

그것도 이 일본에서 한국인 이민자 신분임에도.

성공 신화라고 할 수 있었다.

"한데 이쪽 분은?"

쿠니히로, 아니, 정수찬이 수호를 가리켰다.

"아, 제 일행입니다. 저희 회사의 인턴인데 정수찬 씨 댁엔 저만……."

"같이 들어오시죠. 따라오세요."

'흠.'

종혁은 수호를 봤다.

"너도 들어오라는데 어쩔래?"

"나, 나도? 왜?"

종혁은 어깨를 으쓱였다.

'눈빛이 꽤 아련했지.'

"싫으면 안 들어가도 돼."

"……아니, 같이 들어갈래."

'그리고 볼래.'

종혁이 일하는 모습을 보고 싶었다.

그건 소영도 마찬가지였다.

"나도!"

"으음. 그래. 들어와. 대신 조용해야 된다?"

그렇게 그들까지 집 안으로 들어갔다.

정수찬의 주택은 마치 혼자 사는 사십대 남자의 집은 이런 거다, 라고 말할 만큼 꽤 단출했다.

TV에 소파, 커튼은 스탠다드한 스타일.

마치 금방이라도 떠날 것처럼 최소한의 살림만 있는 삭막한 분위기.

탁상 위의 작은 가족사진만이 이 사막함을 환기시키고 있었다.

"음?"

그 가족사진을 살핀 종혁은 왜 정수찬이 수호를 보고 반응했는지 알 것 같았다.

"일본 사람 집은 이렇게 생겼구나. 어? 야, 박 난쟁이. 이 사진 봐 봐. 너랑 비슷해."

"누가…… 에이, 전혀 아닌데?"

"아니야. 동글동글한 머리랑 밤송이머리가 딱 너야. 느낌이 비슷해."

소영의 말처럼 사진 속 어린 소년과 수호의 전체적인 느낌이 흡사했다. 닮은 구석이라곤 하나도 없는데도.

'저 아이군. 이래서 들어오라고 했던 거야.'

슥! 슥!

정수찬이 부엌에서 차를 내왔다. 이내 따뜻한 김이 올라오는 녹차 잔이 종혁 일행의 앞에 놓였다.

"남자 혼자 사는 집이라 드릴 게 없습니다."

"이 정도면 충분합니다."

"자, 잘 먹겠습니다."

호록.

쌉쌀하고 구수한 녹차 향이 입안 가득 퍼졌다.

"훌륭합니다. 입이 호강을 하네요."

희미하게 웃은 정수찬이 수호를 보았다.

종혁은 안타까워 혀를 찼다.

'자식이 죽으면 가슴에 묻는다지.'

"저 친구의 취미는 게임과 만화입니다."

"음?"

"일어 사전을 뒤져 가며 만화를 보거나 게임을 플레이하고, 일본 연예인도 좋아해서 패션을 곧잘 따라 하는데 알바를 해서 충당합니다. 공부는 반에서 15등 안에 들고요."

"……그렇군요. 공부도 잘하는군요."

"운동신경은 없는데, 자전거는 곧잘 탑니다."

"자전거까지."

일본 학생들이 등하교용으로 애용하는 자전거.

수호를 가만히 바라보며 죽은 아들을 투영하던 정수찬은 이내 곧 종혁에게 고개를 숙였다.

"감사합니다."

"늦었지만 삼가 고인의 명복을 빕니다. 좋은 곳으로 갔을 겁니다."

눈시울이 뜨거워진 정수찬도 고개를 숙였다.

그리고 잠시 후 고개를 든 그의 눈은 방금 전처럼 무심해져 있었다.

"사정은 이치로에게 모두 들었습니다. 제게 얼마까지 지원해 주실 수 있으십니까? 반도체는 돈을 폐지처럼 갈아 버리는 파쇄기입니다."

종혁은 놀랐다.

정수찬은 씁쓸하게 웃었다.

"한국 기업은 어떤지 모르겠지만, 이 일본의 기업 문화는 아주 지독합니다. 상사의 명령이 법이고, 그런 상사는 변화를 끔찍이 싫어합니다. 일본은 부동산 거품이 꺼지며 의욕과 창의력도 사라졌습니다."

'한국도 그런데.'

한국도 만만치 않게 꽉 막혀 있다.

종혁은 정수찬을 봤다.

'이미 마음을 정했군.'

"시제품을 볼 수 있겠습니까?"

"시제품은 없지만, 설계도는 보여 드릴 수 있습니다."

정수찬은 옆에 둔 노트북 전원을 켜서 종혁에게 보여줬다.

설계도를 볼 줄 모르는 종혁은 약간 당황했다.

'이거 반도체 설계자를 수배해 봐야 하려나…….'

"지원이 없는 상태라면 아마 앞으로 7년은 더 걸릴 겁니다."

흠칫!

종혁의 눈이 가늘게 뜨였다.

'시기가 얼추 맞아.'

회귀 전 종혁을 비롯한 형사들은 일본에선 자동차에 영상저장장치를 달고 다닌다는 말에 굉장히 부러워했었다.

'일본 경찰은 이제 범인 쫓기 편하겠다고 부러워했었지.'

"예산을 많이 지원받는다고 해도 그 정도 시간이 걸립니다."

"음?"

"보다시피 설계도는 80퍼센트쯤 완성됐습니다만, 문제는 저장 메모리입니다. 그쯤 돼야 저장 메모리 용량이 만족스러울 만큼 커질 겁니다."

그 말에 종혁은 이 사람이 블랙박스를 개발한다는 걸 확신하게 됐다. 종혁의 눈빛이 변했다.

"한국으로 가시겠습니까, 아님 일본에서 하시겠습니까?"

"일본에서 해도 됩니까?"

"이치로 교수님도 일본에 남기로 하셨습니다. 저희 회사 입장에선 일본 법인을 세우기도 편하니 승인이 난 상태입니다."

"일단은…… 한국으로 가고 싶습니다. 이곳은……."

"괴로우시겠죠."

수호와 비슷한 생김새의 일본 학생이 많다.
까까머리에 가쿠란. 일본 남학생의 표준적인 이미지이다.
아들이 죽지 않았으면 자라서 보여 줬을 모습.
정수찬의 입장에서 일본은 견디기 힘든 장소이다.
그렇기에 어디든 일본이 아닌 곳으로 가려는 거다.
안정된 직장도 내려놓으며.
그게 종혁으로 인해 한국이 됐을 뿐이다.
다른 이가 손을 내밀었어도 정수찬은 그 손을 잡았을 것이다.
'이걸 운이 좋다고 해야 할지…….'
비극이 섞인 결정이기에 종혁은 그만 생각하기로 했다.
"알겠습니다. 1차 자본은 20억 엔, 한화로 음, 250억으로 하죠."
쿠니히로는 충분하다는 듯 고개를 끄덕였다.
"데려갈 사람이 많아지겠군요."
"좋은 숙소를 세워 두고 연락을 기다리겠습니다."
"한 달 안에 넘어가겠습니다."
종혁과 쿠니히로는 그 자리에서 계약서를 썼고, 악수를 했다.
"한국에서 뵙겠습니다."
그렇게 계약은 끝났고, 블랙박스는 한국에서 개발되기 시작했다.

* * *

"끄응. 머리 아파."

부스스 몸을 일으킨 소영은 머리맡에 놓인 물을 들이켰다.

"며, 몇 시지?"

내일이면 한국에 돌아가야 되다 보니 교토에서 돌아오자마자 코가 비뚤어지게 마시다가 정신을 잃었다.

"11시구나……."

멍하니 천장을 바라보던 그녀는 하나인 방을 두 개로 만드는 여닫이문을 열었다.

"너도 일어났네?"

"……시끄러워. 머리 울려."

"종혁이는?"

"몰라. 온천탕 갔겠지. 시간 날 때마다 온천탕 갔잖아."

고개를 끄덕이던 그녀는 잠시 갈등하다 몸을 일으켰다.

다시 누워 푹 자고 싶은데 마지막 밤을 그렇게 보내긴 싫었다.

그녀는 한 곳에 둔 목욕 바구니를 들고 일어섰다.

"나 탕에 갈 건데, 넌?"

"……갈래."

정말 지겹도록 한 온천이지만, 너무 힘들어 어딜 갈 수 없다.

둘은 흐느적거리며 야외 온천탕으로 향했다.

좌악!

뜨거운 온천수에 잠겨 있던 두꺼운 손이 짧은 머리카락을 뒤로 넘겼다.

"이렇게 쉬워도 되나 몰라."

만약 거부한다면 삼고초려도 할 생각이 있었던 종혁으로선 좀 당황스러웠다.

"그만큼 아픔이 크다는 거겠지."

교통사고로 하나 있는 자식을 잃고, 블랙박스를 개발하려 들 만큼 한이 깊다.

"잘해 줘야겠군."

그렇게 다짐한 종혁은 어두운 밤하늘을 보았다.

다시 돌아온 도쿄 료칸의 야외 온천탕은 이렇게 운치가 있었다.

"운치는…… 교토가 컸지."

쿄토의 일본 성들이나 명승들이 꽤 운치 있었다.

다음번에는 교토의 진면목이라는 벚꽃을 보기 위해, 벚꽃 개화 시기에 다시 한번 이곳에 오고 싶었다.

부스럭. 부스럭.

인기척이 나는 입구 쪽을 일견한 종혁은 몸을 일으켜 다시 하늘을 봤다.

"끄으! 그래도 좋긴 좋다."

친구들과 함께해서 더 만족스러웠던 여행이었다.

스르륵!

"흐으응. 머리 아파……. 술 진짜 싫……."

"응?"

고개를 돌린 종혁은 딱딱하게 굳었다.

그건 옆구리에 목욕 바구니를 끼고, 하얀 수건 하나로 몸을 가린 채 들어오던 소영도 마찬가지였다.

"어? 어?"

마른침을 삼킨 종혁은 냉정하게 말했다.

"10시 넘으면 탕 바뀌는 거 잊었어?"

일본 온천의 독특한 문화. 탕 바꾸기.

"아, 어. 맞다. 응. 미안."

스륵, 탁!

뒷걸음친 소영이 문을 닫았다.

그리고 그대로 주저앉았다.

종혁의 잔뜩 성난 등 근육과 엉덩이가 눈앞에 살랑거렸다.

난생처음 본 남자의 몸은 무척이나 야성적이었다.

하지만 그보다 심각한 게 있었다.

"나, 나 지금……."

알몸을 보였다.

그것도 좋아하는 사람에게.

머릿속과 눈앞이 깜깜해졌다.

옷을 집어들며 달리는 그녀의 입이 크게 벌어졌다.

"꺄아아아아악!"

—으아아악! 고메나사이! 미안합니다!

한편 종혁은 옆을 보며 헛웃음을 지었다.

"수호는 여탕 들어갔나 보네."

부럽다는 생각부터 들었다.

쾅! 후다닥! 풍덩!

"오? 살아왔네?"

"들어오던 사람이 초딩만 아니었으면 죽었을 거야."

"다행히 탕에 아무도 없었나 보네."

"응. 네가 없는 걸 확인했을 때 돌아 나왔어야 했는데……."

뽀그르르!

수호는 입까지 몸을 담갔다.

그의 눈에선 더 이상 취기를 찾아볼 수 없었다.

피식 웃은 종혁은 탕을 빠져나왔다. 그러고는 탈의실로 향하는 문 옆에 달린 내선 전화기를 들어 방금 전 일을 설명해 줬다.

긁어 부스럼일 수 있지만, 이런 일은 확실히 해 둬야 했다.

"아, 그렇습니까? 이해해 주셔서 감사하다 전해 주시고, 저희 쪽 실수가 크니 그분들에게 여기 료칸에서 파는 장난감과 화과자 등 부식품 종류별로 전부와 샴페인도 한 병 보내 주세요. 네, 감사합니다."

전화를 끊은 종혁은 돌아와 수호의 머리를 쥐어박았다.

"끄억!"

"잘 마무리됐으니까 걱정하지 마. 그쪽도 종종 겪는 일이라며 이해해 준다더라."

"진짜? 나 안 잡혀가?"

"잡혀갈 거 무서운 놈이 남탕엔 또 어떻게 들어왔냐?"

"잡혀 들어가면 마지막일 테니까……."

"또라이냐."

"몰라. 술기운 때문에 제정신 아냐."

수호는 다시 입까지 몸을 담갔다.

귀엽다는 듯 피식 웃은 종혁은 하늘을 봤다.

"이제 정말 마지막 날이네."

"응. 그러네……."

수호의 눈에도 짙은 아쉬움과, 이번 여행 동안 같이 돌아다니며 쌓은 추억이 스쳐 지나갔다.

"서울 가면 어떻게 할 거야? 개학까지 시간 남았으니까 다시 알바……."

"아니, 공부할 거야."

종혁은 단호하게 말하는 수호를 멍하니 보았다.

"종혁이 너 오늘 그렇게 나이 많은 어른이랑, 어른에게 꿀리지도 않고 말하며 똑같은 눈높이에서 계약하는 거 보니까 생각이 많아지더라."

나지막하게 울리는 말은 얇은 대나무 벽이 가로막는 옆의 여탕에도 닿았다.

종혁은 놀랐다.

"그랬어?"

"응. 그 교수님 만날 때도 이번만큼은 아니지만 그랬었지. 아, 법대나 경찰대를 준비하는 너는 나랑 많이 다르구나."

"야, 그건. 음, 그래서 갑자기……."

수호는 볼을 붉혔다.
"그래서 공부할 거야."
"나도-!"
종혁과 수호는 여탕 쪽을 보았다.
소영은 이를 악물고 있었다.
'꼭 어울리는 사람이 될 거야. 아니, 더 잘나질 거야.'
종혁은 그 다짐하는 표정을 보며 볼을 긁적였다.
'내 행동이 애들에게 영향을 끼쳤다니…….'
쑥스러웠다.
"그래도 다행이네. 내가 너희들에게 좋은 영향을 끼친 것 같아서."
"나도 네가 친구라서 고마워."
"……그래. 나도."
손발이 오그라드는 말이었지만, 가슴은 뻐근할 정도로 좋았다.
"아, 그런데 종혁이 넌 한국 돌아가면 어떻게 할 거야?"
"나? 합숙 참가해야지."
서울지방검찰청 인턴과 이번 일로 한 달 합숙 중 2주를 빼먹었다.
"너도 참 바쁘네."
"그러게."
그래도 이렇게 바쁜 삶, 나쁘지 않았다.
과거와 다른 길을 걷고 있으니 말이다.
그렇게 종혁, 소영, 수호 셋의 일본 여행 마지막 밤이

저물어 갔다.

* * *

'살려 줘.'

누가 좀 살려 줬으면.

누가 구해 줬으면.

왜 가출했을까. 아니, 왜 속았을까.

힘들어도 참을걸.

몇 년 전 험한 꼴을 겪고 집에 돌아갔지만, 가족들과 이웃들의 시선을 못 이겨 다시 가출한 소녀의 심장이 찢어진다.

닭장보다 허름하고 더러운 탈의실, 화장대 앞에 앉은 18살, 19살 소녀들이 거울을 보며 화장품을 든다.

이제 화장을 하면 영업 시작이다.

모르는 어른에게 안겨 몸이 만져져야 한다.

벌레가 기어가는 끔찍한 감촉.

하지만 웃어야 한다.

"웃어야……."

주르륵!

억지로 웃던 거울 속 소녀가 눈물과 함께 무너졌다.

"누가 제발……."

쾅!

"뭐 해! 곧 영업 시작인데 아직까지 화장도 안 하면 어쩌자는 거야! 오늘 한 따가리 할까! 엉?!"
"죄, 죄송해요!"
화를 내는 사람은 고작 한 명이지만, 반항할 수 없다. 저번에 한 언니가 반항했다가 맞아서 지금도 침대에 누워 있다.
황급히 손을 움직이려던 그때였다.
빠아악!
"컥! 어떤 씨발놈이!"
뒤통수를 잡으며 고개를 돌렸던 사내는 하얗게 질렸다.
"검찰이다, 씨발놈아."
'거, 검찰?'
삼십대 후반, 정장을 입고 머리를 단정하게 넘긴 검사가 미성년자들을 보며 푸근히 웃었다.
"집으로 돌아갈 시간이다, 애들아."
주르륵!
소녀들의 눈에서 다시 눈물이 흘렀다.
이번엔 다른 의미였다.
이건 대한민국 전역에서 일어나는 일이었다.
대한민국 검경이 유흥가를 상대로 전쟁을 선포했다.

* * *

검경이 유흥가와의 전쟁을 선포한 지 20일…….
이른 아침, 출근 열차를 기다리며 신문 가판대에서 신

문을 구매한 사람들이 욕을 쏟아 낸다.
"저런 쳐 죽일 놈들! 아직까지 다 안 잡았어?"
"아니, 자기 딸 같은 애랑 하고 싶을까?"
"이건 어른이 문제야, 문제."
신문을 구매해 그들 사이를 빠져나온 종혁이 한 기사를 보며 눈을 가늘게 떴다.
다시 거리로 뛰쳐나온 아이들.
그들에게 집은 안식처가 맞는가.
누구도 관심을 주지 않을 귀퉁이의 짤막한 기사지만, 종혁은 사회부 기자 박영일이란 이름을 보고 한숨을 뱉었다.
"정말 어딜 가나 생각 없는 놈들이 문제야."
검경에 가출 청소년 쉼터의 존재를 알렸음에도 일부 검사나 경찰이 가출 청소년들을 곧바로 부모에게 인계했다.
그들이 어떤 이유로 가출을 했는지 알아보지도 않은 채 무작정 돌려보냈다.
부모들이 내놓으라 난동을 부리기에.
또는 그냥 귀찮아서.
아이들의 마음을 다시 한번 짓밟았다.
그래서 결국 이런 수를 쓰게 된 거다.
종혁은 지하철역을 빠져나오며 핸드폰을 들었다.
―네, 박영일입니다.
"일찍 일어나셨네요, 박 기자님?"
종혁은 음성 녹음을 남기려 했었다.

-어우. 나도 이제 나이가 들어선지 네 시간만 자도 눈이 떠져. 무슨 일이야, 최 선수? 특종이야?

"공중파 쪽에 아는 분 계신다고 했죠?"

-……흠. 확실히 판을 키울 때가 됐지.

"네. 검경도 슬슬 외각으로 향할 테니까요."

지방이나 섬.

그런 곳에 팔려 간 아이들은 도시와는 비교도 할 수 없는 지옥을 겪고 있을 것이다.

-오케이. 계속 밑밥은 던져 놨으니 그렇게 할게.

흔쾌한 허락에 종혁은 걱정부터 들었다.

"괜찮으시겠어요?"

-괜찮아. 여태까지 칭찬해 줬으니 한 번쯤은 혼도 내야지. 썩을 새끼들. 그런 놈들 때문에 일 잘하는 검찰, 경찰이 견찰 소리를 듣는 거 아냐?

동감이다.

약자를 보호할 의무를 저버린 순간 그들은 더 이상 경찰, 검찰이 아니다. 그저 수갑을 찬 양아치이다.

이후 간단한 안부를 물은 종혁은 핸드폰을 끊었다.

하지만 핸드폰이 다시 울렸다.

"음? 뭐 말하지 않은 게 있나? 예, 박 기자님."

-박 기자는 아니고 날세. 지금 통화 가능한가?

종혁은 고개를 모로 기울였다.

권회수였다.

"이른 아침부터 어쩐 일이세요? 혹시……."

종혁은 정수찬과 그가 데려올 인재들이 쓸 숙소와, 회사 및 개발 연구소로 쓸 건물을 권회수에게 맡겼고, 이미 둘 다 구해서 내부 공사 중이었다.

–아니, 나중에 옮길 신사옥 때문일세.

급하게 매물을 구하느라 만족스러운 빌딩을 찾지 못했다.

그래서 일단 설비가 들어갈 건물을 구한 후 나중에 사옥을 옮기기로 했다.

–숙소랑 회사가 있는 분당 쪽에 좋은 매물이 나왔어.

숙소를 분당에 구한 이유는 정수찬 때문이다.

그는 도쿄처럼 복잡하고 답답한 서울은 싫다고 했다.

"오, 그래요? 매물을 구하기 힘들다고 하지 않았어요?"

부동산 매물이 씨가 마른 이유는 모두 한국에서 슬슬 존재감을 드러내고 있는 닷컴 버블 때문이다. 부동산 대출로 닷컴 버블에 투자하는 거다.

–그렇지. 그래서 땅이야.

"땅이요? 아예 건물을 짓자는 겁니까? 흐음."

나쁘지는 않다. 하지만 닷컴 버블이 터지면 부동산 매물은 다시 쏟아지게 될 터였다.

–자동차에 들어갈 뭘 만든다고 하지 않았나?

잠시 고개를 모로 기울였던 종혁은 눈을 빛냈다.

"어떤 분 겁니까?"

–클클. 대현 왕 회장님의 둘째, 아니 이젠 장남이지. 그 장남의 아들 뒷주머니에서 나온 거야. 나도 그쪽과의

인연이 아니었다면 모를 정도로 은밀하게 나왔어.

회장들의 왕, 왕회장.

권회수의 입에서 대현의 초대 회장 현주영의 별칭이 흘러나오자 종혁은 흠칫했다.

'현몽구의 아들이면…… 현오성?'

―그 집 장남 현오성 위로 누나가 셋 있는데, 다들 기가 세. 사촌들은 말할 것도 없고.

종혁은 무슨 말인지 바로 알아들었다.

"요직을 차지하기 위해 자금이 필요하다는 거군요."

―지금 왕회장님 셋째 동생분과 왕회장님 장남이 자동차 놓고 싸우는 거 알지?

'아, 지금이 그 시기인가?'

―누가 이길지는 몰라도 차지한 자리든, 쫓겨난 자리든 돈이 많이 필요할 걸세.

그때를 대비해 총탄을 준비한다.

어쩌면 힘들어하는 아버지를 돕기 위해 준비하는 것일 수도 있다.

뭐가 됐든 영리한 행동이다.

―어쩔 텐가? 일단 코는 걸어 놨는데…….

"매입하죠."

2대 회장도 2대 회장이지만, 곧 대현가에 큰 전쟁이 일어난다.

'이제 기억이 나는군. 왕자의 난!'

현주영 회장이 갑자기 쓰러지며 발발한 전쟁, 왕자의 난.

재계 서열 1위 대현그룹의 경영권을 둘러싼 전쟁은 대한민국 전체를 떠들썩하게 만들었다.

당시 치열한 전쟁은 5남인 현몽헌이 승리하는 듯 보였으나, 결국 진짜 승자는 결국 현몽구라 할 수 있었다.

이번에도 그 결과는 다르지 않을 터.

이 인연으로 블랙박스가 대현차에 옵션으로라도 설치될 수 있다면 충분히 남는 장사였다.

—역시 자네는 말이 통해서 좋아.

'저 역시 감사합니다.'

권회수가 아니었다면 모를 정보였다.

—알겠네. 누가 채어 가기 전에 얼른 가져오지. 공사도 건설 쪽에 맡긴다 하면 좋아할 거야.

'아무렴요.'

대현건설 역시 대현자동차그룹에 편입된다.

현재로선 먼 미래지만.

"부탁드리겠습니다."

전화를 끊은 종혁은 눈을 가늘게 떴다.

"왕자의 난도 준비해야겠군."

제법 큰 한탕이 될 터였다.

"일단은 지금부터."

아는 정보는 써먹어야 했다.

종혁은 얼른 박태규에게 전화를 걸었다.

그는 대현가의 싸움에 예민하게 반응했다.

—현몽구 회장이 이길 겁니다.

박태규는 단언했다.

"호? 그래요? 왕회장님의 동생분인 현세균 회장님이 공성에 성공하지 않을까요? 비록 왕회장님 명령에 부회장으로 물러났다지만, 지금의 대현자동차는 그분이 만들었다고 봐야 합니다."

많은 주주들과 언론이 현세균 회장을 지지하고 있다.

—그렇긴 하지만, 그 욕심 많은 왕회장님이 두고 보지 않을 겁니다. 현세균 전 회장에게 자동차를 줄 거였으면 장남을 회장 자리에 앉히지도 않았겠죠.

이번 전쟁은 그로 인해 촉발되었다.

—이번 기회에 적대 세력을 모두 걷어 내려 할 겁니다. 12월부터 발발한 전쟁이니 지금쯤 살생부도 완성되었을 테죠.

'정답.'

역시 박태규다.

IMF와 러시아 모라토리엄을 겪으며 그의 시야는 한층 더 넓어졌다.

"제가 더 할 말은 없겠군요."

—최대한의 결과를 내겠습니다.

전화를 끊은 종혁은 만족스럽게 웃으며 학교를 향해 걸음을 옮겼다.

그렇게 학교 앞에 도착한 종혁은 닫힌 교문 앞에 모여 있는 사람 몇 명을 발견하고 의아해했다.

그는 그들에게 다가갔다.

"우리도 들어가면 안 될까? 아까 운동부로 보이는 사람도 들어가던데."

"그, 글쎄."

"니들 뭐냐?"

소위 떡볶이 코트라 부르는 베이지색 코트 안에 교복을 입은 채 달달 떠는 아이들.

동일고의 교복은 맞는데, 1학년 명찰이다.

문제는 지금이 방학 중이라는 사실이다.

"힉!"

종혁의 덩치를 보고 놀란 그들은 하나로 뭉쳤다.

"오, 오늘 개학이라서 왔는데요?"

"개학? 아, 그게 오늘이었어?"

합숙에 2월 대회, 정수찬 일에, 가출 청소년 쉼터까지 바쁘게 움직이다 보니 어느새 방학이 다 갔다는 것도 잊고 있었다.

"벌써 신입생들이 들어올 때구나."

회귀한 지 벌써 약 2년.

시간 참 빠르다 싶었다.

"입학식은 9시부터인데 왜 이렇게 일찍 와?"

"하하."

'……하긴 이제 고등학생이라고 한창 들뜬 시기지.'

그들이 자라며 선망한 고등학생 형, 누나들.

초등학생, 중학생에게는 어른에 가까운 고등학생들.

참 풋풋하다 싶었다.

종혁은 교문 옆 쪽문을 밀었다.

끼이익!

"들어와."

설마 열려 있는지 몰라 허망해하던 그들은 우물쭈물 뒤따랐다.

그렇게 교정을 가로지른 그들은 학교 건물 앞에 섰다.

"반에 들어가면 히터부터 켜. 누가 뭐라고 하면 내 이름 대고."

"혀, 형이 누구신데요?"

"하긴. 공부만 했으면 날 모를 만도 하겠네. 나?"

종혁은 피식 웃었다.

"유도부 주장 최종혁."

아이들의 눈이 동그래졌다.

"그럼 수고들 해라, 후배들아. 동일고에 들어온 걸 환영한다."

종혁은 멍해지는 그들을 뒤로하며 유도부실로 향했다.

드르륵!

"나 왔다! 아침은 든든하게 먹었냐!"

"오셨습니까, 주장!"

우락부락한 유도부원들이 우렁차게 종혁을 반겼다.

* * *

"요. 종혁. 브로?"

오늘은 개학날이라 이례적으로 아침 운동을 일찍 마치고 교실에 들어가니 수호가 주먹을 내민다.

여자들과 수다를 떨던 소영도 손을 흔들었다.

운이 좋게도 1학년, 2학년에 이어 이번에도 한 반이 되었다.

종혁은 수호가 내민 주먹을 보며 눈을 껌뻑였다.

“너 어제 미국 영화 봤냐?”

“어. 이상해? 우리 학원 원어민 선생님이 이렇게 인사하던데? 이게 미국 스타일이라고?”

“그 학원 당장 그만둬.”

“어?”

수호의 영어 발음이 더럽다.

할렘 쪽 특유의 발음이었다.

‘하여튼 미국인이라면 제대로 확인도 안 하고 냅다 원어민 선생으로 들이니 문제지.’

지금은 미국인이라면 불법체류자라도 선망하는 시기이다. 그렇다 보니 질이 나쁜 이들도 특별한 검증 없이 사회 활동을 하는데, 종혁이 영어를 익힌 이유가 바로 이런 이들 때문이다. 범죄를 저질러 놓고, ‘오우, 나 한국어 못해요’ 하니 열이 받아서 익힌 것이다.

“너 그러다 수능에서 영어 듣기 평가 망친다.”

“헉! 진짜? 아 씨. 재밌는 선생님인데.”

“발음 교정하려면 이리나에게 과외를 부탁하는 게 나아. 걔가 쓰는 게 표준어야.”

이리나 샤크. 스키장에서 인연을 맺은 후 계속 연락을 하는 붉은 머리의 미녀이다.

얼마 전 셋만 일본 여행을 다녀왔다고 삐졌었다.

“맞아. 이리나가 있구나. 아, 걔는 학교 어디 다닌대? 같이 다니면 좋을 텐데.”

“글쎄? 외국인학교가 아닐까?”

그러는 편이 미국에 있는 대학에 입학하기 편하다.

“외국인학교? 그런 곳도 있어?”

“그게…….”

종혁은 외국인학교에 대해 설명했고, 수호는 고개를 끄덕였다.

“그렇구나. 아니, 그보다 하아. 우리 담임은 누가 될까? 김관득 선생님이면 좋을 텐데. 아니, 누가 오시든 독사만 아니면 돼.”

“아무나 오시면 어때. 어차피 고3이라…….”

드르륵, 쾅!

갑자기 앞문이 활짝 열리자 고개를 돌렸던 학생들은 입을 떡 벌렸다. ‘사랑의 매’라고 적힌 공업용 쇠자로 어깨를 두드리며 들어오는, 안경 쓴 오십대 교사.

“굿모닝이다. 아들, 딸들아!”

“……아아!”

절망 어린 짜증이 터지고, 자리에 앉은 종혁도 씁쓸하게 웃었다.

수호는 머리를 쥐어뜯고 있었다.

'독사.'

아들, 딸. 친근한 호칭을 쓰지만, 헤이하치, 윤 또라이와 더불어 동일고 학생이 가장 피하고 싶어 하는 세 명의 선생 중 한 명이다.

"이놈의 짜식들, 그렇게 좋냐? 다들 날 알고 있는 것 같지만……."

탁탁탁!

한문으로 박병춘이란 글자가 쓰였다.

"아아아!"

이미 정해져서 바꿀 수도 없지만, 소개가 된 이상 진짜 빼도 박도 못하는 상황에 아이들은 다시 절망 어린 짜증을 터트렸다.

그러나 박병춘 선생은 흔들림 없이 자신을 소개했다.

"담당 과목은 영어. 내 소문 알지? 하나라도 틀리면 각오해라."

"아아아!"

"일단 임시 반장부터 정해야 할 텐데…… 그래, 최종혁!"

종혁은 고개를 저었다.

"죄송합니다. 대회가 많아서 반장 일을 하기 힘들 겁니다."

"아, 그렇지. 그럼 학생회장도 못 하겠네?"

전교 1등에 유도부 주장. 딱 학생회장감이었다.

"하루 대부분 유도부에 있어야 하니까요."

"오늘 입학식 재학생 대표는? 너만 허락하면 바꿀 수 있는데."

"전에 말씀드렸듯이……."

박병춘은 아쉬워했다.

"끙. 네가 딱인데…… 오케이. 그러면 정인수. 네가 임시 반장해."

"차렷! 경례!"

"안녕하십니까!"

"오냐. 곧 입학식이니까 티브이 틀 준비하고…… 아차차, 전달할 사항이 있다. 오늘 우리 반에 전학생이 왔다."

남녀 학생들의 눈이 반짝였다.

"여자예요?!"

"남자죠! 그렇죠, 선생님?!"

"우리 예쁜 딸들에게는 안타깝게도 여자다."

"……우아아아아!"

"그렇지-!"

"하여튼 여자라면 다 좋지. 막상 닥치면 말도 못 걸 놈들이."

박병춘의 강력한 팩트 폭행에 남학생들은 입을 다물었다.

하지만 눈들은 기대감으로 불타고 있었다.

"아주 잡아먹겠네. 들어와. 컴 인."

'응? 컴 인?'

드르륵!

문이 열리며 한 여학생이 들어오자 종혁은 눈을 크게 벌렸다.

수호와 소영도 마찬가지였다.

반 아이들은 약간 달랐다.

'재가 왜?'

"……우아아아아악!"

"미녀다-!"

"외국인이야!"

"휘이이익!"

붉은 머리를 찰랑이며 들어오는 미녀는 교탁에 서서 환하게 웃었다.

"Hi, guys? I'm a Irina Shark. look after me, Please!"

"와아아아!"

"그래! 우리도 잘 부탁해!"

함성이 다시 터졌다.

그 순간.

이리나가 종혁을 향해 손을 흔들었다.

"혁-!"

사사삭!

함성이 멈추고, 남자들의 고개가 한곳으로 돌아갔다.

그 살의로 가득한 시선에 종혁은 한숨을 길게 내뱉었다.

"하아."

고3의 첫 시작날.

앞으로 잘 풀리지 않을 것 같다는 불길한 예감이 들었다.

"응?"

종혁은 의아해하는 그녀를 쥐어박고 싶었다.

* * *

박병춘 선생은 이리나를 이리 무리에 던져 놓고 체육관으로 이동했다.

하지만 반 아이들은 이리나를 괴롭히지 못했다. 그녀가 종혁에게 다가갔기 때문이다.

"Hi, Long time no see. 소영 Hi, 수호 Hi!"

수호와 소영에게도 시선이 모였다.

종혁은 정신을 차렸다.

"뭘 오랜만이야. 연락은 계속 주고받았잖아."

반 아이들은 종혁의 유창한 영어에 눈을 동그랗게 떴다.

한국인의 고질병. 영어는 잘 알지만, 영어를 잘하지 못한다.

그들은 대단하다는 듯 보았다.

"우리 학교엔 왜 온 거야? 너 한국어도 못 하잖아."

이리나는 씩 웃었다. 그리고 한국어로 말했다.

"할 줄 아는데? 나 대디보다 잘해."

"어?"

"……우오오오오오!"

"전학생이 우리나라 말을 할 줄 안다!"

"발음 좋아!"

아이들은 뒤집어졌지만, 종혁은 복잡해졌다.

"종혁아! 난 너희가 전학생이랑 어떻게 아는지 정말 궁금하다!"

"시끄러워."

"네."

늑대 한 놈을 침묵시킨 종혁이 이리나를 봤다.

"그런데 왜?"

"맞아! 왜 말 안 했어?!"

수호와 소영도 따지듯 물었다.

이리나는 배시시 웃었다.

"안 물어봤잖아? 만날 영어로 말하고."

"아니, 그러긴 했지만 그거야……."

외국인인 그녀를 배려한 것이었다.

'뭐 이런 애가 다 있지? 그때도 좀 마이 웨이긴 했지만.'

종혁은 골치 아프다는 듯 고개를 저었다.

"어? 입학식 시작한다!"

"자자, 모두 자리에 앉아! 우리 담임 독사다!"

임시 반장의 말에 모두 투덜거리며 자리에 앉았다.

"뭐, 그래. 동일고에 온 걸 환영해. 애나."

"응! 잘 지내자, 혁. 수호. 소영."

"가자. 애나. 내가 애들 소개시켜 줄게!"

그녀는 왜인지 다급히 손을 잡아끄는 소영과 함께 여자들 자리로 향했고, 종혁은 그녀를 가만히 바라보다 다시 고개를 저었다.

속인 게 괘씸하긴 하지만, 그래도 좋은 인연을 맺은 사람과 함께한다는 건 나쁘지 않았다.

'친구가 늘었네.'

회귀 전엔 친구라 부를 사람이 한 명도 없던 학창 시절이었지만, 지금은 좋은 친구인 수호와 소영이 있고 이리나도 함께하게 됐다.

가슴이 절로 따뜻해졌다.

그는 막 교가가 흘러나오는 TV로 시선을 돌렸다.

체육관, 파릇파릇한 신입생들이 경직된 자세로 앉아 있는 모습에 웃음이 나왔다.

열린 창문에서 살랑 불어오는 따뜻한 바람이 봄이 오고 있음을 알려 주고 있었다.

* * *

경찰 본청 앞.

웬일로 제복을 꺼내 입은 김종두 과장과 두 명의 경찰이 초조하게 누군가를 기다리고 있다.

그 순간 한 대의 중형차가 다가와 섰다.

탁탁!

"종혁이?"

설마 이 차량인가 하고 지켜봤던 그는 선두 차량 보조석에서 냉큼 내려 뒷좌석 문을 여는 종혁을 발견하곤 멍해졌다.

그는 육십대 노인 한 명, 사십대 중년인 한 명과 다가오는 종혁을 향해 손가락질했다.

"너……."

종혁은 김종두를 향해 정중히 고개를 숙였다.

"공적으로는 처음 뵙겠습니다. 행복의 쉼터 재단 해외 협력 사업부 사원 최종혁입니다. 여기 이치로 교수님의 통역 및 일일 비서로서 오늘 일에 참여하게 됐습니다. 그리고 이 분은 성화대 컴퓨터공학과의 한종학 교수님이십니다."

안다. 한국대와 더불어 국내 3대 대학 중 하나인 성화대.

한종학 교수는 본청 컴퓨터범죄수사대에서도 종종 자문을 구하는, 해킹과 보안 관련 분야의 권위자다.

김종두는 종혁을 봤다.

맞춤 슈트를 입은 종혁의 모습이 낯설다.

하지만 어울린다.

"아니……."

"그렇게 됐어요. 일본어를 잘하시는 분이 안 계셔서."

"경찰 한다고 했잖아, 이 자식아!"

김종두 과장은 속삭이며 배신감을 표출했다.

"행복의 쉼터 재단이 가출 청소년 쉼터예요. 내신 때문에요."

"내신?"

"봉사 활동 같은 거예요."

종혁은 그러며 봉사를 하러 갔다가 우연히 일본어 실력을 발휘할 기회가 생겼고, 그 때문에 사원이 되었다고 설명했다.

말은 사원이지만, 주말에만 일하기에 아르바이트라고

봐도 무방하다는 덧붙임과 함께.

"허어."

그도 얼핏 들은 적 있다.

요새 대학에 가려면 봉사 활동 같은 것도 해야 한다는 말을 말이다.

'봉사를 하러 갔다가 사원이 되다니.'

이걸 잘났다고 해야 할지, 운이 좋다고 할지.

"그런데 어떻게?"

"여기 이치로 교수님께서 저희 재단과 첫 협력 관계를 맺은 일본 미나토 대학의 교수님이시자 그 프로그램의 개발자시거든요."

"협력? 재단이?"

"저희 재단에선 원하는 아이들을 대상으로 유학을 보낼 예정이거든요. 지금은 일본뿐이지만, 곧 미국이나 영국, 프랑스, 이탈리아 등 나라의 대학에도 유학을 보낼 예정이에요."

김종두 과장은 그제야 관계를 이해할 수 있었다.

협력을 위해 일본어를 구사할 줄 아는 사람을 구하다 우연히 종혁이 발탁된 게 분명했다.

'권 영감 그 양반, 정말 회개하려는 건가?'

명동의 돈 귀신 권회수가 행복의 쉼터 재단의 이사장인 건 이미 알고 있는 사실이다. 역사의 뒤안길로 사라졌던 거물이 다시 등장해 부동산과 빌딩을 무차별로 매입함에 경찰 내부에서도 말이 많았다.

한데, 그 모든 부동산을 행복의 쉼터 재단에 귀속시켰다.

마치 사람들의 눈에서 피눈물을 뽑았던 과거의 행동을 뉘우치려는 듯한 그의 행보에, 경찰은 일단 지켜보자는 입장이었다.

"그런데 왜 과장님이 나와 계세요?"

"그 프로그램이 정말이라면 우리도 필요해서. 아, 우리 쪽 소개가 늦었네. 이쪽은 컴퓨터범죄수사대의 대장 박성호 경정. 정보보안팀의 팀장 구명성 경정."

'크. 컴퓨터범죄수사대.'

종혁이 경찰이 됐을 땐 사라진 이름이다.

김종두와 마찬가지로 권회수에 대해 생각하던 박성호와 구명성은 소개가 되자 함박웃음을 지으며 손을 내밀었다.

"두 달 만입니다, 교수님."

"허헛. 잘 계셨습니까. 이쪽이 그 대단한 프로그램을 만든 야마노구치 이치로 교수입니다. 한국 이름은 정일구. 일본 재무성 등 정부 부서의 보안 프로그램 개발자였습니다. 일본 정부는 아직도 이 사람이 만든 걸 기반으로 한 보안 프로그램을 쓰고 있죠."

김종두와 경찰들의 눈이 동그래졌다.

이치로 교수의 연배가 이제 사십대로 보였기 때문이다.

'천재?'

종혁의 통역을 받은 이치로 교수가 한 발 나섰다.

"이치로입니다. 잘 부탁하무니다."

이치로 교수가 정중히 허리를 90도로 숙이자 경찰들도

얼른 허리를 숙였다.

"어이구. 한 교수님께서 추천하시는 분이라면 저희가 잘 부탁드려야죠. 자, 안으로 들어가시죠."

그들은 본청의 소회의실로 향했다.

소회의실에는 제복을 입은 십여 명의 경찰들이 앉아 있었다.

'죄다 경정 아니면 총경이네. 얼씨구? 경무관까지 있어?'

경정이면 과장급이고, 총경이면 서장급 인사이다.

경무관은 그보다 한 급수 위.

모두 대한민국에서 쉽게 보기 힘든 경찰 고위 간부였다.

그들 모두 일어나 한종학 교수와 악수를 나눴다.

'그만큼 중요하게 받아들인다는 거겠지.'

일이 잘 풀릴 것 같은 예감이 들었다.

그렇게 인사를 마친 후 곧바로 프레젠테이션에 들어갔다.

어두워진 방, 마이크를 잡은 이치로 교수가 발표를 하면 종혁이 실시간 통역을 하고 본청에서 따로 부른 통역사가 검증을 하는 방식이었다.

프레젠테이션이 절정에 다다르자 소회의실에 앉은 모든 경찰 간부들의 엉덩이가 들썩였다.

설명을 들으면 들을수록 경찰에 필요한 물건이다.

무조건. 어떻게든.

꿈에 그리던.

"이상입니다. 질문 있으십니까?"

촤악!

누구보다 빨리 손을 드는 사람이 있었다.

"네. 컴퓨터범죄수사대의 박성호 대장님."

손을 늦게 든 간부들은 아쉬워했다.

"정말 두 번, 세 번 포맷된 컴퓨터도 복구 가능합니까?"

가장 중요한 점이 바로 이거다. 간부들의 눈이 빛났다.

종혁은 이치로 교수에게 통역했고, 이치로 교수는 고개를 끄덕였다.

"네. 컴퓨터로 작업했다면 복구 가능하다고 하십니다. 그뿐만 아니라 핸드폰의 삭제된 문자 역시도 마찬가지입니다."

"오오오!"

간부들의 엉덩이가 더 들썩였다.

스윽!

유일한 경무관이 느릿하게 손을 들었다.

열기가 가득 서려 있는 그의 눈이 날카롭게 빛났다.

"혹시 실례가 안 된다면 시험해 봐도 되겠습니까?"

"실례라뇨. 당연한 일이죠. 교수님께선 얼마든지 시험해 봐도 괜찮다고 하십니다."

촤좌좍!

경정들의 고개가 다급히 경무관에게로 향했다.

"특수."

"옛!"

벌떡 일어난 김종두 과장이 소회의실을 박차고 나갔다.

"아."

"우리도 급한데……."

아쉬워하는 간부들을 뒤로한 종혁은 의아해하는 이치로에게 설명을 해 줬다. 이치로 교수는 기겁했다.

"아직 검증도 안 한 프로그램을 증거물에 쓴다는 겁니까?"

"그만큼 증거 확보에 간절하다는 겁니다. 아마 지금 가져오려는 건 무슨 수를 써도 복구하지 못한 컴퓨터나 노트북일 테죠."

일부 소수 때문에 오욕을 뒤집어쓸 뿐 원래 범인을 잡기 위해서라면 물불 가리지 않는 게 대한민국 경찰이다.

"범인만 잡을 수 있다면 무당, 일본으로 치면 점술사에게도 빌 수 있는 게 대한민국 경찰입니다."

"허…… 열정이 대단하군요. 일본 경찰도 이걸 배워야 할 텐데."

"하하."

종혁과 이치로 교수가 대화를 나누는 모습을 보던 경무관이 다시 손을 들었다.

"예, 경무관님."

"그런데 왜 일본이 아니라 우리나라를 택한 건지 물어도 되겠습니까?"

뜬금없는 타이밍에 날카로운 질문이다.

기대감에 물들어 있던 경찰 간부들의 눈빛이 변했다.

하지만 이미 예상한 질문이다.

종혁이 통역해 주자 이치로 교수가 마이크를 잡았다.

"일본 경찰이 노인처럼 행동하기 때문입니다."

"노인?"

"신문물을 받아들일 생각을 안 하고 발로 뛰면 다 된다는 구시대적인 고집만 가득한 노인의 마인드."

종혁의 통역에 간부들은 뜨끔했다.

대한민국에서 가장 경직되고 구시대적인 조직 문화를 가진 곳 중 하나가 경찰이기 때문이다.

하지만 이내 곧 어깨를 폈다.

결국 한국을 택한 건 한국의 수사 방식이 더 신세대적이라는 소리이기 때문이다.

"그렇지. 일본분이 뭘 좀 아시네."

"어흠. 아무리 일본이 선진국이라도 검거율은 우리가 낫지."

"또 제가 자이니치이기 때문입니다. 일본에선 조상이 한국인이라면 발언권 자체가 없습니다."

"아니 그런?!"

"뭐? 한국인이 조상이라서 발언조차 못 한다고? 그게 말이야, 방구야?!"

한국 경찰 칭찬에 기분이 좋아졌던 간부들은 발끈했다.

경무관도 울컥했지만, 이곳에서 가장 상급자라 냉정해지려 애썼다.

"그런데 소개하시길 재무성 등의 정부 부서 보안 프로그램 개발자였다고 들었습니만."

"개발은 제가 했지만, 사후 관리는 일본인들 손에 맡겨졌습니다."

토사구팽. 이 사자성어가 그들의 머릿속에 떠올랐다.

끝내 경무관의 입에서 분노의 불길이 터져 나왔다.

"이런 씨부랠 새끼들이 진짜!"

"하여튼 정이 안 가는 새끼들!"

"이 새끼들은 달라진 게 하나도 없네!"

마치 본인이 직접 당한 것처럼 간부들의 얼굴이 달아올랐고, 이치로 교수는 그 모습을 보며 당황했다.

"원래 한국인이 좀 이래요. 교포라고 해도 같은 한국인이거든요."

정이 넘쳐 나는 지금 이 시대는 그랬다.

아프리카에 살아도 한국인의 핏줄이라면 같은 한국인.

같은 한국인이라면 모두가 콩 한 쪽도 나눠 먹는 이웃사촌이었다.

"또 그런데, 최 선수?"

"아, 예."

종혁은 경무관을 봤다.

"행복의 쉼터 이사장이 부동산을 왜 사들이는지 아나? 아르바이트라 잘 모를 테지만, 들은 게 있을 것 아닌가."

눈을 빛낸 종혁은 잠시 기억을 더듬는 척하다가 입을 열었다.

"아, 그건 후원이 없어도 재단 운영에 어려움이 없고자 그러시는 걸로 알고 있습니다. 뭐랄까, 돈 걱정 없이 불쌍한 아이들을 돕고 싶다?"

"호오."

다른 간부들의 눈도 가늘어졌다.

"다른 의도는 없고?"

"예?"

종혁은 천연덕스럽게 반응했지만, 경무관이 무슨 말을 하려는지 안다.

행복의 쉼터 재단은 권&박 홀딩스와 분리된 재단이다.

하지만 겉으로 보기에 둘은 마치 모자 회사처럼 보인다.

권회수와 권아영이 부녀 관계이며 권&박 홀딩스에서 막대한 후원을 하기 때문이다.

이는 부동산에서 나오는 수익 중 일부, 당초 계약을 맺은 대로 구 대 일을 후원이란 명목으로 보내는 것이지만 경찰은 그걸 모른다.

즉, 권회수가 행복의 쉼터를 앞세워 돈세탁을 하는 게 아니냐는 의혹이었다.

그러나.

'행복의 쉼터가 매입하는 부동산은 권&박 홀딩스의 이름으로 매입하는 것에 비하면 자투리 수준이지.'

권회수가 부동산이나 건물을 찍으면 권&박 홀딩스가 계약한다.

대현 현오성의 부동산도 행복의 쉼터 명의로 매입했다가 권&박 홀딩스에 되파는 형식을 취했다.

세금도 모두 내면서 두 회사가 연관 관계는 있지만, 독립된 회사라는 걸 강조했다.

이렇게 복잡하게 일을 진행하는 데는 이유가 있다.

과거의 거물인 권회수가 전면에 나서면 불편해하는 사람들이 많다는 것도 있지만, 권아영이 권회수의 인형이 아니냐는 의혹도 벗길 수 있기 때문이다.

그러면서 권&박 홀딩스는 사회적인 기여도 한다는 이미지도 얻을 수 있었다.

"아닐세."

'정말 마음을 고쳐먹은 건가…….'

그렇다면 가출 청소년 쉼터도 달리 생각해 봐야 한다.

좀 더 진지하게.

종혁은 변화하는 경무관이나 다른 이들의 눈빛에 속으로 씩 웃었다.

'됐군.'

오늘 미팅에 종혁은 권&박 홀딩스가 아니라 행복의 쉼터 재단의 사원으로 나타난 이유가 바로 이걸 위해서였다.

경찰로 하여금 행복의 쉼터를 좋게 생각하게끔 만들기 위해.

"흠. 그러면 이치로 교수님도 행복의 쉼터 재단의 투자를 받는 건가?"

이 역시 예상한 질문.

종혁은 이치로 교수를 향해 물었고, 이치로 교수는 미리 짜 놓은 대본대로 답했다.

"이사장님의 추천을 받아 권&박 홀딩스라는 곳에 심사를 넣은 상태입니다."

"권&박 홀딩스."

경찰들의 표정이 애매해졌다.
타다닥! 쾅!
"가져왔습니다! ……음?"
김종두 과장은 기묘한 분위기에 고개를 모로 기울였다.

"그게 주승엽 그 사기꾼 새끼 컴퓨터라고?"
경무관뿐만 아니라 간부들, 종혁도 눈을 빛냈다.
주승엽. 종혁은 듣기만 했지만, 이 시기 엄청난 다단계 사기를 친 범죄자다.
후에 나타날 희대의 사기꾼 조희구의 위명에 가려졌을 뿐, 경찰이 언제나 예의 주시하는 네임드 범죄자다.
'이거 그거구나! 120억대 다단계 사기!'
많은 일반인들의 눈에서 피눈물을 뽑은 사건이다.
하지만 문제가 있다.
'그런데 그놈 결국 풀려났다고 했는데?'
이유는 증거 불충분. 검찰도 분통을 터트린 사건이다.
'이걸 삼촌이 맡다니…….'
과거 이 사건을 맡은 건 광수대였다.
'아, 잠깐. 설마?'
"예. 은신처까지 모두 뒤졌지만 장부를 발견하지 못했고……."
경무관이 손을 들었다.
"거기에 거래 내역이 있을 거라 추정되는데, 락이 걸려서 못 풀고 있잖아. 맞지?"
"예!"

"끙. 가져와도 하필이면……."

"어차피 여기도 없으면 그놈 풀어 줘야 합니다, 차장님."

눈앞의 한종학 교수도 난색을 표한 락.

그렇다면 확보했어도 쓸 수 없는 증거물이란 소리이다.

"……좋아. 해 봐."

컴퓨터 본체가 연결되자 이치로 교수가 나섰다.

경찰들은 주먹을 꼭 쥐며 부디 락이 풀리기를 기원했다.

그렇게 이치로 교수 어깨너머로 지켜보길 몇 분.

배경은 검은색이요, 요상한 글자와 숫자들이 빠르게 올라가던 컴퓨터 화면이 다시 확 밝아졌다.

"어? 뚫렸다."

윈도우 98의 메인 화면이 나타나자 순간 멍해졌던 경찰들은 이내 양팔을 번쩍 들었다.

"뚜, 뚫렸다!"

"이런 씨발?!"

반쯤 일어났던 경무관만 애써 진정할 뿐 모두 축배를 들기 위해 준비하고 있었다.

"그런데……."

컴퓨터 메인 화면이 기본 화면이다.

내 컴퓨터, 내문서, 휴지통, 인터넷만 전부인 화면.

경찰들의 낯빛이 어두워지자 이치로 교수는 다시 프로그램을 조작했고, 컴퓨터는 꺼졌다가 다시 켜졌다.

우우웅! 찌직찌직!

본체가 오버 히팅하며 격한 소리를 냈지만, 경찰들은

입을 떡 벌렸다.

컴퓨터 화면을 가득 채우고 있는 문서 파일들 때문이다.

"저, 정말 복구됐어?"

김종두 과장은 홀린 듯 컴퓨터로 다가갔고, 이치로 교수는 눈치 좋게 비켜 주었다.

문서 파일 중 하나를 클릭한 김종두 과장은 순간 휘청거렸다.

그는 힘겹게 경무관을 봤다.

"자, 장부가 마, 맞습니다. 주승엽 그 새끼 거 맞습니다!"

경무관의 주먹이 불끈 쥐였다.

"맞다면서 뭐 해?! 얼른 그 새끼 모가지 비틀어 버리지 않고!"

"옙!"

"와아아!"

다시 만세를 외친 경찰들은 서로를 얼싸안고 방방 뛰었다.

"흐윽! 이제 나도 처자식들이랑 봄에 꽃구경 갈 수 있는 거냐?"

누군가의 말에 경찰들은 숙연해졌다.

"아니지. 그땐 또 다른 사건이 있겠지."

반박하는 누군가의 말에 더 숙연해졌다.

사건을 빨리 해결해 봤자 다음 사건이 대기하고 있다.

그게 형사의 딜레마다.

"야이씨! 좋아하지도 못하냐! 그래도…… 뭐 만세다! 이제 못 잡을 놈이 없잖아!"

못 잡을 놈이 없다는 말에 경찰들의 얼굴이 확 밝아졌다.

"그렇지! 증거 인멸 좆 까라고 해!"

"사건이 늘어나면 뭐 어때! 한 놈이라도 더 잡는 게 좋지!"

"씨발. 이새끼들 다 뒈졌어!"

검거율이 올라가는 소리가 벌써부터 들리는 듯했다.

구수한 욕설을 뱉으며 좋아하던 간부들은 다급히 경무관을 봤다. 같이 기뻐하던 경무관이 그 뜨거운 시선들에 흠칫 몸을 굳혔다.

"왜, 왜 이 자식들아?!"

"이거 무조건 사야 합니다, 차장님."

"사 주십쇼!"

"사 주실 거죠?"

"……아니, 나도 그러고 싶지만 일단 좀 더 확인을…… 청장님한테 보고드려야 하고. 그리고 예산이……."

"아, 몰라! 야, 드러누워!"

"옙!"

"어이구, 바닥이 차네."

총경들까지 모두 드러누우려 하자 경무관은 펄쩍 뛰었다.

"손님도 계시는데 뭐 하는 짓이야!"

"손님이든 뭐든 우린 모르겠고!"

"사 주실 때까지 안 일어날 겁니다! 저거면 잡을 놈이 몇 명인데! 뭐 해? 안 누워?!"

"옙!"

"이 새끼들이 진짜! 너희가 애냐? 애야?!"

개판이 되어 버린 소회의실의 모습에 종혁은 흐뭇하게 웃었다.

그에겐 참 익숙한 모습이기 때문이다.

'하, 귀여운 양반들. 그렇지. 이래야 형사지.'

범인을 잡기 위해서라면 뭐든 하는 게 형사다.

선진화된 수사 기법을 도입할 수만 있다면 이런 땡깡은 몇 날 며칠이라도 부려 줄 수 있었다.

그리고 놀랍게도 이런 건 대부분 먹힌다.

경찰 요직에 앉은 간부들 모두 치열하고 더럽고 힘든 현장을 겪었기 때문이다.

현장의 고충을 잘 아는 간부들.

그렇기에 사석에선 사사로이 형, 동생이라 부르기도 한다.

종혁은 이젠 넋을 놓으려는 이치로 교수를 다독였다.

"흔히 있는 일이니 걱정 마세요. 교수님 프로그램을 사 달라고 떼쓰는 것뿐이니까요."

"겨, 경찰이요? 하급자가 상급자에게?"

"아, 일본에선 보기 힘든 모습이죠?"

"예. 진짜 다르네요……."

'하하. 대한민국 형사들이 좀.'

종혁의 어깨가 죽 펴졌다.

* * *

몇 번의 실험을 더 거친 디지털 포렌식은 결국 연간 50

억을 지불하기로 하며 3년 계약을 맺었다.

권회수가 얽혀 있다는 게 조금 꺼림칙했지만, 그 효용성을 무시할 수 없었기 때문이다.

그래서 3년이었다.

이 시간 동안 버금가는 프로그램이 나오지 않는 이상 계약 기간은 무난히 갱신될 것이다.

'아니, 최소 20년은 무난히 갱신되겠지.'

이치로 교수도 본격적으로 업그레이드를 하기로 했고, 종혁이 개입하면서 보안을 한층 더 강력하게 걸어 놓았기 때문이다.

'회귀 전 교수님은 본인의 이득보단 범죄자만 잡으면 된다는 마인드로 모든 걸 오픈했었지.'

일본에서 그런 꼴을 겪은 상태에서 만약 자이니치라는 이유로 경찰의 도움을 제대로 받지 못했다면 충분히 그런 마음이 생길 수 있다.

그 때문에 한국이 이득을 보았지만, 한국은 그런 이치로 교수를 배신했다. 이치로 교수가 오픈한 소스를 바탕으로 한국형 디지털 포렌식을 제작하고, 디지털 포렌식 수사과도 만들었다.

이건 그때에 대한 종혁의 사죄였다.

"2억 엔……."

이치로 교수로선 처음 보는 금액.

종혁은 그에게 줄 로열티 및 연봉의 합을 6대4로 잡았다.

"연간이죠. 연간 2억 엔입니다, 교수님."

이치로 교수의 눈시울이 붉어졌다.

"내게도 이런 봄이 오다니…… 크흑! 감사합니다, 최 자문님. 자문님이 아니었다면……! 이 은혜를 대체 어떻게 갚아야 할지!"

"형사들을 잘 가르쳐 주시기만 하면 됩니다."

이치로 교수는 당분간 한국에 남아 디지털 포렌식 프로그램 운영 방식을 가르치기로 했고, 그 담당 부서는 전국 경찰청과 경찰서 컴퓨터범죄수사과와 정보보안 부서로 결정되었다.

이치로 교수의 손을 톡톡 두드려 준 종혁은 한종학 교수를 향해 고개를 숙였다.

"어울려 주셔서 감사합니다."

"으음. 아닐세. 프로그램이 영 아니었다면, 아무리 어르신의 부탁이라고 하더라도 거부했을 걸세."

그랬다. 한종학 교수가 이 판에 끼어든 이유는 모두 과거 권회수와의 인연 때문이다.

한종학 교수는 권회수와 처음 만났을 때를 기억했다.

지독히도 가난했던 시절, 한종학 교수는 아비의 빚을 추심하러 온 권회수와 만났다.

작은 쪽방을 구둣발로 짓밟으며 들어왔던 악당.

첫인상은 최악이었다.

'책이 많네? 책도 돈이 되지.'

'이, 이건 안 됩니다! 아들이 일해서 산 책들입니다!'

'아들이? 어이, 아들내미. 진짜냐?'

'이 상황에서 그게 무슨 소용 있겠습니까. 가져가십시오.'

한종학은 그렇게 말했지만, 세상이 무너지고 있었다.

'……흠.'

그때 권회수는 책들을 하나하나 세심하게 살폈다.

그리고.

'쯧. 폐지값도 못 받을 만큼 너덜너덜하네. 됐다. 이건 너 해라.'

그렇게 말한 권회수는 무슨 일인지 추심도 관두며 돌아갔는데, 이후 달마다 그의 집 앞엔 쌀이며 책이며 온갖 것들이 쌓였다.

눈치가 빨랐던 한종학은 권회수를 찾아갔지만 내쳐졌다.

그러다 겨우 만나게 된 건 아비의 빚을 모두 갚았을 때였다.

그때 권회수가 그랬다.

'그렇게 살면서도 공부를 한다는 게 기특해서 적선 좀 한 것뿐이니 신경 쓰지 마라. 다신 이런 곳에 오지 말고.'

그렇게 짧은 만남이 끝났지만, 권회수의 지원은 계속되었다.

낮에 일하고 저녁에 공부하며 힘들게 유학을 갔을 때도 권회수는 지원해 주었다.

그러다 언젠가 공부하는 것도 지쳤을 때, 권회수를 찾아갔다.

그때 권회수는 이렇게 말했다.

'공부를 하고 싶어도 할 수 없었던 시기가 있었다. 넌 지금 시대에 사는 걸 축복으로 생각해라.'

그 말 속에 서려 있던 한이 한종학으로 하여금 다시 공부에 몰두하게 만들었다.

즉, 권회수가 아니었다면 지금의 교수 한종학은 없었다.

세상 사람들이 모두 권회수를 돈 귀신이라 욕해도 한종학 교수는 결코 그럴 수 없었다.

'이영창 검사장님이나 다른 이들도…….'

한종학 교수는 이치로 교수를 보았다.

'어르신은 여전히 어려운 이들을 구원하시는구나.'

오해였지만, 그걸 모르는 그로서는 마음이 움직였다.

'그래. 나도 이제 베풀 때가 됐지.'

"야마노구치 교수."

"예?"

"그 디지털 포렌식이란 것에, 아니, 자네가 만든 회사에 고문 자리 남았는가? 오늘처럼 한국의 일에 도움을 줄까 하는데."

"……예?"

종혁과 이치로 교수의 눈이 동그랗게 뜨였다.

* * *

청장실.

경찰청장 김관영이 오늘 일을 보고를 받는다.
“그래, 이런 걸로 돈 아끼면 안 되지. 수고했어.”
“감사합니다!”
경찰청장의 칭찬에 경무관의 얼굴이 활짝 핀다.
“그보다 돈 귀신 그 양반, 정말 마음 고쳐먹은 것 같디?”
그가 어리바리 신입 형사였던 시절 이미 거물이었던 권회수.
그래서 다이렉트로 보고를 받는 거였다.
“특수 김 과장이 마중 나가서 한 이야기까지 종합해 보면, 그렇지 않나 싶습니다. 최 선수를 비롯한 동일고 유도부도 봉사를 한다고 합니다.”
“최 선수.”
한상원을 잡는 데 혁혁한 공을 세웠을 정도로 정의감 넘치는 이다.
서울지방검찰청에서도 사건을 해결하는 데 도움을 주지 않았던가.
“거참. 왜 갑자기 튀어나와 사람 골치 아프게 하는지.”
가출 청소년 쉼터는 서울 공무원들에게 제법 뜨거운 감자이다.
아이는 부모의 품에서 보호받아야 하는데, 그걸 정면으로 반박한다. 나쁜 부모에게는 돌려보내지 마라, 또 다른 피해자를 양산한다, 우리가 부모가 되어 주겠다.
형사들을 보내 살펴본 시설도 제대로였다.
그라고 범죄에 휘말리는 가출 청소년이 왜 가엽지 않겠

는가.

하지만 시설의 장이 그 권회수라 지금까지 소극적일 수밖에 없었다. 담당 경찰들에게 잘 알아보고 집으로 돌려보내고, 자주 살피라고 한 정도.

그런데.

"정말 마음을 고쳐먹었다면…… 흠."

쿵쿵쿵!

"들어와."

하얗게 질려 안으로 들어온 제복 입은 경찰이 리모컨을 든다.

"잠시."

TV가 켜지며 뉴스가 흘러나온다.

-검경이 유흥가와의 전쟁을 선포한 지 어언……

경찰청장은 만날 보는 기사에 고개를 모로 기울이다가 입을 다물었다.

-하지만 집으로 돌아간 아이들이 다시 집을 나온다는 소식입니다.

화면이 바뀌고 모자이크 된 어떤 여성이 인터뷰를 한다.

그런데 배경이 유흥 업소다.

-집을 왜 다시 나온 겁니까.

-제, 제가 원래 가출한 게 술 먹고 때리는 아빠 때문이었거든요? 엄마가 도망친 건 너 때문이다, 몸을 팔아서라도 돈 벌어 와라. 그래서 제발 돌려보내지 말아 달라고 빌고 빌었는데, 형사님이 아빠를 불러서…….

경찰청장의 얼굴이 딱딱하게 굳었다.
이후로 참담한 가정사를 지닌 아이들의 인터뷰가 이어졌다.
결국 경찰청장은 폭발했다.
"이 새끼들이! 잘 알아보고 돌려보내라니까!"
경찰이 경찰 얼굴에 똥칠을 했다.
그런데 이어지는 말이 가관이다.
-가출 청소년의 마음을 어루만지기 위한 쉼터가 있음에도 잘 알아보지도 않고 무작정 돌려보내는 경찰과 공무원들의 무심한 행태. 바로잡히길 바랍니다.
경찰과 공무원의 행태. 머리털이 쭈뼛 솟는다.
띠리링! 띠리링!
경찰청장은 전화를 받았다. 그리고 벌떡 일어나 허리를 연신 굽히며 예, 예, 대답을 했다.
전화를 끊은 그는 의자 위로 무너졌고, 다른 이들은 숨을 죽였다.
"……돈 귀신 이 양반, 제대로 쳤네."
이 뉴스가 권회수의 작품이 맞는지 아닌지는 모른다.
경찰의 위신이 땅에 떨어졌단 게 중요했다.
"후. 진짜 어쩔 수 없게 됐군."
그는 전화를 들어 어딘가로 전화를 걸었다.
"나 청장인데, 행복의 쉼터에 협력 요청하고 기자들 불러. 그리고 전국에 감사 들어가! 알았어?!"
경찰청장의 분노가 내부를 향해 터져 버렸다.

* * *

최고의 딴따라가 되겠다고 외치던 감진영의 커다란 사진들이 걸려 있는 JYK의 사장실. 감진영은 당황하고 있었다.

앞에 놓인 JC Ent 대표이사 정영탁이라는 명함 때문이다.

"왜 그렇게 놀라시는지 모르겠군요, 감 대표."

"……무슨 속셈이십니까?"

머릿속에 수많은 말이 떠오르지만, 결국 나온 건 이 말이다.

감진영의 지분을 제외한 JYK의 지분 대부분이 JC엔터테인먼트라는 들어 보지도 못한 회사로 이전되었다.

눈치를 챘을 땐 이미 늦은 후였다.

잔소리 많은 시어머니 같았어도 든든했던 주주들에게 사정했지만, 씨알도 먹히지 않았다.

더 이상 감진영은 JYK의 주인이 아니었다.

"제 회사를 훔치려는 겁니까?"

감진영이 이를 드러내자 정영탁은 다리를 꼬며 사장실을 둘러봤다. 수줍게 웃는 사진, 폼 잡은 사진 등.

여전히 괴악한 공간이었다.

"예전부터 생각했지만, 정말 자기애가 강하시군요."

정영탁도 놀랐다.

그도 이렇게 쉽게 지분을 팔 거라곤 생각지 못했다.

의아해 물어보니.

'닷컴이라고 했던가?'

그런 것에 투자를 한다고 했다.

그에 두 배로 값을 치른다니 너도나도 지분을 던졌다.

'역시 돈이 좋아.'

"정 대표님!"

정영탁은 그를 보며 고개를 모로 기울였다.

"그러면 안 됩니까?"

"당신! 이건 내 회사야! 내가 피땀 흘려 만든 회사라고!"

"진정하세요. 그럴 생각 없으니까."

"……."

"어느 분께서 그러더군요. 그룹 활동에 있어 소속감이라는 게 중요하다고."

감진영의 입이 쩍 벌어졌다.

"재, 재우?"

정영탁의 얼굴을 살핀 그의 입이 더 벌어졌다.

아직 데뷔도 못 한 가수 한 명을 데려가기 위해 백억이 넘는 돈을 썼다. 그의 상식에선 있을 수 없는 일이었다.

정영탁은 혼란스러워하는 그를 보며 다리를 반대로 꼬았다.

"정 대표 입장에선 나쁜 일이 아닐 겁니다."

"무슨 말입니까?"

"난 딱히 JYK에 참견할 마음이 없습니다. 내 일도 바쁜데 잘하고 있는 사람에게 매질해서 무슨 이득이 있겠습니까?"

감진영의 눈이 빛났다.

"그 말씀은……."

정영탁은 감진영이 JYK를 만들고 난 후부터 그가 걸어온 행보에 대해 담담히 늘어놨다. 그중엔 아직 계약이 남은 'Steal Away', '소중한 사랑'의 박시윤을 영입해 회사 규모를 키운 점도 있다.

"이렇듯 잘하고 계시니 범죄를 저지르지 않는 이상 제가 참견할 일은 거의 없을 겁니다."

"……문서로 남길 수 있습니까?"

"서약서건 뭐건 쓰죠. 그래서 감 대표 마음이 편해진다면."

"……끄응. 녹음을 다 해 놓고 이러시는 경우가 어디 있습니까, 정 대표님."

누그러든 그의 얼굴에 정영탁은 껄껄 웃었다.

"그러게 주랄 때 주셨야죠."

"정 대표님 자금력이 이 정도인 줄 알았다면 진즉에 그랬겠죠."

"떠나간 버스에 손 흔들어 봤자 늦었습니다."

그 말에 감진영은 속이 아플 만큼 쓰렸다.

'이럴 줄 알았다면 팔 걸…….'

재우가 성공할 거라는 자신감은 있지만, 현재 가요계는 복마전이다. 얼마나 성공할지는 예측할 수 없다.

'그저 당분간의 캐시 카우가 된다면 그걸로 족했는데…….'

정영탁은 아쉬워하는 그를 향해 손을 내밀었다.

"일단 결과가 나와 봐야 알 테지만, 앞으로 잘 부탁합니다."

"예, 최대 주주님."

정영탁은 다시 웃음을 터트렸다.

"빨리! 빨리!"

"으아아아아!"

30평대의 넓은 주택, 준형을 비롯한 아이들이 걸레로 바닥을 밀며 경쟁을 하고 있다.

'어휴, 이 지랄 맞은 것들.'

똥강아지 다섯 마리를 보는 듯하다.

지랄 맞을 만큼 발랄하고, 성실하며 귀여운 아이들.

"자, 주목!"

"앗! 사장님!"

후다닥 달려온 아이들이 정영탁 앞에 섰다.

정영탁은 발갛게 달아오른 얼굴로 가쁜 숨을 내뱉는 재우에게 어깨동무를 했다. 멤버인 형들과 완벽하게 동화된 것 같아서 흐뭇했다.

"대, 대표님?"

"서로 다시 인사들 해라."

"……?"

"앞으로 JC엔터 소속으로 영원히 너희들과 함께하게 될 마지막 멤버 김재우다. 박수로 맞이해 주도록."

툭!

멤버들의 손에 들린 걸레가 바닥으로 떨어졌다.

정영탁은 믿기지 않는 얼굴로 바라보는 그들을 향해 고개를 끄덕였다.

"……우아아아아!"

"재우야!"

"형들!"

정영탁은 서로를 끌어안고 방방 뛰는 그들을 보며 따스하게 웃었다.

'그래. 이제 곧 봄이니 만발하는 꽃처럼 아름답게 성공하자, 이놈들아.'

"헤이, 요! 싸장님!"

"어? 오지 마라. 오지 마!"

그는 격하게 거부했지만, 결국 붙잡혀 헹가래를 당해야 했다.

* * *

결국 박태규의 예상과 원래의 역사대로 현몽구 회장이 대현자동차의 회장 자리를 지켰고, 현주영 왕회장의 셋째 동생 현세균은 대현산업개발로 물러났다.

지분 교환식 때만 해도 담담한 모습을 보였던 현세균 회장은 대현자동차 회장 취임식에서 눈물을 왈칵 흘리며 억울해했다.

—쯧쯧. 왕회장님도 독하시지. 결국 이렇게 될 줄 알았

지만.

권회수는 다시금 혀를 찼다.

"그렇죠. 정말 독한 양반이십니다."

현세균이 키운 대현자동차 회장 취임식에 쫓아낸 현세균을 불러들였다. 현주영 왕회장은 동생을 두 번 죽인 것이다.

―천년만년 살 것도 아니면서 왜 저리 독하신지. 저승 가면 무슨 판결을 받으려고.

'당장 올해부터 기력이 떨어집니다.'

그러나 내년에 쓰러진다.

"그보다 현오성은 어떻게 됐습니까?"

―아, 자동차 상무 자리에 앉았네. 듣기로 왕회장님이 개입한 순간부터 자기들끼리 싸움을 벌였다더군. 이놈들도 독사일세, 독사.

"그 피가 어디 갈까요."

종혁은 고개를 끄덕였다.

"알겠습니다. 수고하셨습니다."

―끌끌. 자네도 수고하시게. 아, 맞아. 박 원장이 고맙다고 전해 달라더군.

"하하. 수고하시라 전해 주세요. 언제든 2호, 3호 쉼터 오픈할 수 있게 준비해 주시고요."

―아무렴. 걱정 마시게.

전화를 끊은 종혁은 가출 청소년들에 대해 생각하다 대현 동차가 있는 방향을 봤다.

무슨 생각을 하는지 그의 눈빛은 착 가라앉아 있었다.

띠리링! 띠리링!

"예, 최종혁입니다."

—최 선수, 섭섭하데이.

"아버님?"

강철선이다.

언젠가부터 종혁이라 부르던 그가 다시 최 선수라 부르자 종혁은 자신이 뭔가 잘못한 것이 있나 생각해 봤다.

—그런 좋은 게 있으면 우리부터 줘야 하는 거 아이가? 우리가 남이가!

"……아. 디지털 포렌식이요? 그렇지 않아도 한종학 교수님께서 이번 주 내로 연락한다고 하셨는데. 지금까진 데이터를 모으는……."

그렇게 말하던 종혁은 고개를 모로 기울였다.

"그런데 그걸 왜 저한테 물으세요? 전 통역이었어요."

—괘씸해서 그란다 아이가! 아르바이트한다는 말도 안 하고, 봉사한다는 말도 안 하고. 우리 사이가 그것밖에 안 되나?

"……예?"

—니 꼭 그때 오레이!

뚝!

종혁은 전화가 끊긴 핸드폰을 멍하니 보다 쿡쿡 웃었다.

"삐지셨나 보네."

김종두 과장이 안 걸 자신만 몰랐다는 것에 삐진 것 같았다.
다섯 아이의 아버지가 말이다.
고개를 저은 종혁은 입국 게이트를 봤다.
웅성웅성!
김포공항은 오늘도 나가고 들어오는 사람들로 북적였다.
"올 때가 됐는데……."
스르릉!
말이 씨가 된 건지 입국 게이트가 열리며 정수찬이 걸어 나왔다.
환하게 웃은 종혁은 그에게 다가가 손을 내밀었다.
두 남자의 뜨거운 손이 허공에서 맞잡아졌다.
"오느라 수고 많으셨습니다."
"저야 비행기를 탄 것뿐인데요. 아, 이쪽은……."
정수찬은 함께 온 일행 서른 명을 소개했다.
"휘유. 많군요."
종혁은 버스를 대절하기를 잘했다고 생각했다.
"모두 자이니치거나 저와 같은 이민자들입니다. 그리고 각자 분야에서 회사를 먹여 살렸지만, 인정은 받지 못한 인재들입니다."
역시 일본은 참 바보 같다는 생각이 종혁의 머리를 강타했다.
그리고 이런 인재들을 데려온 정수찬이 너무도 고마웠다.
종혁은 그동안 고생 많았다는 의미를 담아 정중히 고개

를 숙였다.

"고국에 돌아오신 걸 환영합니다."

이런 종혁의 진심에 낯선 타국에서, 다시 돌아온 한국에서 살아가야 한다는 것에 생각이 많았던 사람들은 그 불안이 싹 씻겨 내려가는 것을 느꼈다.

"그럼 이동하실까요."

종혁은 그들을 데리고 분당으로 향했다.

"오!"

"아!"

20평대의 아파트가 반기자 그들의 얼굴은 확 밝아졌다.

도쿄의 집만큼 넓은 집과, 탁 트였으면서도 편의점이나 마트 등 있을 건 다 있는 아파트 상가와 주변 환경.

그보다 그들을 기쁘게 한 건 바로 본사에 있는 설비들이다.

"이, 이건 독일에서 막 출시되기 시작한 건데!"

"이건 또 뭐야! 우리 회사에서도 내년에나 도입한다는 거잖아! 미쳤어!"

그들은 마치 원하던 장난감을 받은 아이처럼 어쩔 줄 몰라 했다. 그중 한 사람이 종혁에게 달려와 손을 꼭 잡았다.

"그렇지 않아도 렌즈 설계 때문에 걱정이 많았는데!"

"렌즈? 아."

블랙박스에는 화질도 중요하다.

"이, 이 정도면 그 사람도 만족할 겁니다! 저 역시도!"

"그 사람이요?"

"독일에 권위자가 한 명 있는데, 그 사람이 이걸 본다면 바로 넘어올 겁니다!"

"아!"

종혁은 정수찬이 이들에게 왜 인재라 했는지 바로 이해했다.

'부족한 걸 적극적으로 채우려하고 있어.'

이런 인재들을 데려온 정수찬이 다시 고마워지는 순간이었다.

종혁은 그들을 둘러보며 입을 열었다.

"모두 마음에 드십니까?"

그걸 말이라고 하냐는 듯한 눈빛에 종혁의 입가가 뒤틀렸다.

"아직 이 정도로 놀라시면 곤란한데요."

"음?"

"일단 이동하시죠."

그들은 의아해하며 종혁의 뒤를 좇았다.

그리고 잠시 후 드넓은 농지에 도착한 그들은 더 의아해했다.

"지금 눈에 보이는 모든 곳이, 약 5만 평의 대지가 여러분 겁니다."

그들은 여전히 이해하지 못했다.

하지만 이내 곧.

"이곳에 신사옥과 연구소를 지을 겁니다. 여러분을 위해서."

"……!"

멍하니 고개를 돌린 그들 중 일부가 5만 평 대지를 보다 털썩 주저앉았다.

정수찬도 정신을 차리지 못했다.

이 정도의 대우까지는 바라지도 않았다.

'그저…… 그저…….'

종혁은 형언할 수 없는 눈빛으로 바라보는 그들의 모습에 싱긋 웃었다.

'이젠 공부에 전념할 수 있겠군.'

가출 청소년의 일까지 모두 끝났다.

휘이잉!

어디선가 불어온 따뜻한 바람이 그들의 몸을 감쌌다.

3장. 집착

집착

어느덧 5월, 완연한 봄이 되었다.

이제 밤거리를 돌아다니는 데 얇은 점퍼면 충분했고, 밀레니엄을 기다리는 사람들은 마음껏 패션을 뽐냈다.

바람에 흩날리는 꽃가루는 아무런 장애가 되지 못했다.

"정말 앙골모아 대왕이 내려와 세상을 멸망시키려나."

"넌 그런 오컬트적인 걸 믿냐? 차라리 운석이 떨어진다는 게 더 현실성 있겠다."

"튈까?"

"어디로?"

"……우주?"

"야, 뭘 걱정해. 미국에서 다 알아서 해 줄 텐데. 영화 아마겟돈 못 봤어?"

"맞아. 브루스 윌리스가 있었지?"

시시덕거리며 거리를 걷는, 귀걸이를 한 이십대 청년들.
"진짜 요새 밀레니엄 버그 때문에 미치겠다니까?"
"아, 컴퓨터가 2000년 이후의 연도를 제대로 인식하지 못해서 엄청난 문제들이 발생한다는 그거?"
"응! 그것 때문에 박 부장이 컴퓨터 시간 1998년으로 해 놓으라고 지랄이잖아! 그러다 문서 정리 순서 바뀌면? 자기가 책임질 거야?"
한 손에 커피를 든 채 투덜거리며 걷는 여사원들.
이치로 교수는 그 활기찬 모습에 흐뭇하게 웃으며 걸었다.
건너편 빌딩 옥상의 전광판 '21세기 앞으로 ○○○일'이라는 글자가 그의 눈에 들어왔다.
"재밌는 나라야, 한국은."
밀레니엄 괴담이 판을 치고 있지만, 이치로 교수가 판단하기에 한국인들은 괴담에 무서워하는 게 아니라 즐기는 것 같다.
정말 무서워하는 사람도 있겠지만, 마치 하나의 축제처럼 그날만을 기다리며 기대하고 있다.
-미안해. 그런 표정은 짓는 게 아니었는데.
리어카 스피커에서 흘러나오는 어설픈 한국어.
이게 바로 그 증거다.
"Y2K 밀레니엄."
지금 흘러나오는 곡을 부르는 밴드 이름이 Y2K 밀레니엄이다.
한일 합작 밴드이다. 노래가 꽤 좋아서 이치로 교수도

리어카에서 테이프를 구매했다.

"그런데……."

이제 며칠 후면 이 즐거운 나라에서도 떠나야 한다.

술 마시고 노는 것에도 진심인 이 나라를.

고작 두 달이지만 정이 들었는지 마음이 좀 울적해진 이치로 교수는 종혁에게 전화를 할까 하다가 아차했다.

오늘, 대회에 참가하기 위해 지방으로 갔다는 게 떠올랐다.

그는 CD 플레이어에 달린 이어폰을 꼈다.

-어머니, 보고 싶어요.

요새 선풍적인 인기를 끌고 있는 한국 보이그룹의 목소리에 그는 얼른 시간을 확인했다.

"벌써 육아일기 할 시간이군."

시꺼먼 남자 다섯의 좌충우돌 육아일기.

요새 그가 한창 애청하는 프로그램이다.

검찰에서도 이게 아니면 이야기가 되지 않는다.

그는 맥주가 든 봉지를 흔들며 빠르게 걸음을 옮겼다.

그렇게 숙소인 아파트에 도착한 이치로 교수는 잠시 멈칫했다. 까만 양복을 입은 한 사내가 서 있었기 때문이다.

그냥 누굴 기다리는 사람이겠지 하고 스쳐 지나가던 그는 다시 멈췄다.

이번엔 타의에 의해서다.

"야마노구치 이치로 교수님?"

"……누구신지?"

까만 양복을 입은 사람이 사람 좋게 웃으며 명함을 내밀었다.

"대한민국 국가정보원에서 나왔습니다. 귀하가 개발한 복구 프로그램, 디지털 포렌식에 관해 이야기할 게 있으니 잠시 시간을 내줄 수 있겠습니까?"

"국가정보원?"

이치로 교수의 눈이 부릅뜨였다.

"권&박 홀딩스에는 따로 사람이 갔으니 안심하시길."

* * *

종혁의 얼굴이 일그러져 있다.

어이없기도 하고, 웃음이 나오기도 하고.

여러 가지 복잡한 감정으로 일그러져 있다.

"국정원 이놈들 이때도 엉덩이가 무거웠네."

평소처럼 금메달을 따고 돌아오던 길에 이치로 교수에게 연락이 왔다. 국정원에서 디지털 포렌식을 정식으로 구입하고 싶다며 접촉해 왔다는 연락이었다.

경악스러운 말이었지만, 회귀 전에도 있었던 일이기에 종혁은 동요하지 않았다.

국가를 상대로 공작을 펼치고 기밀을 다루는 게 국정원이다.

티끌만큼이라도 나은 기술이 있다면 무조건 확보해야 하는 게 그들의 일이다.

그럼에도 디지털 포렌식이 경찰과 검찰에 팔린 순간 접촉하지 않은 건, 현장에서 얼마나 효용성이 있는지 검토한 것일 터였다.

즉 이제야 충분히 쓸 만하다고 판단한 것이다.

'그리고 이후 원활한 업그레이드를 위해 교수님에게 접촉한 것이겠지. 어쩌면 교수님을 귀화시키려고 할 수도 있고.'

말 몇 마디로 개발자가 대우받는 느낌을 받아 능동적으로 움직인다면 충분히 이득이었다.

국정원이 이런 건 좀 잘했다.

경찰이나 검찰도 꿀리진 않지만.

"그렇다면 이치로 교수님은 이제부터 국정원의 관리를 받겠군."

그 기한은 더 나은 버전의 디지털 포렌식이 개발되지 않을 때까지.

여기서 다행인 점은 종혁 본인이 드러나지 않은 점이다.

이러려고 권&박 홀딩스 이름으로 계약한 것이지만 말이다.

종혁은 앞으로 이치로와의 연락을 자제해야겠다고 생각했다.

"얽히면 골치 아파지지."

국정원과 얽혀서 좋게 끝난 일이 단 한 번도 없다.

'특히 그 북한 장교 때.'

"혀억-!"

와락!

쌀가마 한 개 반이 등을 덮치자 종혁은 목을 감싸는 팔을 끌어안으며 허리를 비틀었다.

“What-?”

풀썩!

바닥에 엉덩방아를 찍은 이리나가 종혁을 보며 눈을 끔뻑였다.

“사람 함부로 덮치는 거 아니다.”

“와우…….”

종혁은 넋이 나간 이리나의 손을 잡아 끌어올렸다.

하교하던 학생들은 그런 둘을 멍하니 보았다.

“빠, 빨간색! 큽!”

“티, 티 팬…… 크학!”

“응?”

얼굴이 빨갛게 달아오른 남학생들.

의아해하던 이리나가 씩 웃으며 치맛자락을 잡았다.

“이거?”

“흐억!”

여학생들도 꺄 얼굴을 가렸다.

이리나는 귀엽다며 깔깔깔 웃었다.

“얘, 얘가 미쳤어-!”

후다닥 달려온 소영이 이리나의 손을 치며 타박했다.

“왜? 보여 준다고 안 닳아.”

“닳아-!”

“오우, 리틀 마미. 넌 우리 동부 애들보다 얌생이야. 그러다 처녀 귀신 된다?"

"시끄러워-!"

종혁은 오늘도 여전한 둘을 보며 고개를 저었다.

수호는 뒤에서 단어장을 뚫어져라 쳐다보고 있었다.

띠리링 띠리링!

"예, 최종혁입니다."

-요, 브로! 잘 지냈어?

"오우. 요새 가장 잘나가는 가수님이 웬일이셔?"

토요일 오후, 음악 방송이다, 행사다 하며 평일보다 바빠야 했다.

-응! 우리 쌀 떨어졌어!

종혁은 고개를 모로 기울였다.

"그걸 왜 나한테 말해?"

-싸장님이 우리보고 굶으래! 먹어도 너무 먹는대! 배고파!

"호영이 형 바꿔 봐요, 형."

이들 다섯 중 그나마 이성적인 게 요새 미소 천사라 불리는 호영이다.

-응, 종혁아.

"무슨 일이에요? 대표님이 밥 안 줘요? 그럴 분이 아니실 텐데?"

-아하하. 그게. ……억이래.

"네?"

-1억이래. 데뷔하고 나서 지금까지 우리가 먹은 게…….

종혁은 잠시 귀를 후볐다.

"요새 새벽까지 공부한다고 귀가 맛이 갔나."

낙법을 너무 많이 했나 싶기도 했다.

-제대로 들은 거 맞아.

"그러니까 데뷔한 지 두 달도 안 돼서 1억? 먹는 걸로만?"

-카드랑 다 압수됐어. 외상도 못 하게 하셔. 세민이 올 때나 겨우 먹을 정도야.

세민이는 요즘 이들이 촬영 중인 육아일기의 아기 주인공이다.

"형들이 사람이야?"

-아하하. 그래서 그러는데 실례가 안 된다면 어머님 식당 좀 이용할 수 있을까? 저녁에 배가 너무 고파…….

참 뻔뻔한 말이다.

"에라이."

이게 소는 키워도 너는 못 키우겠다의 예시인가 싶었다.

'미래에 먹방 하는 애들보다 더 먹는 것 같은데.'

아니, 유도 선수보다 더 먹는다.

"하, 알았어요. 저녁 9시까지 하니까 아무 때나 와요."

-고마워! 사랑해!

전화를 끊은 종혁은 어느새 다가와 '쭌이 형이야? 호영 오빠야?' 하며 눈을 빛내는 친구들에게 사정을 설명했고, 그들은 입을 떡 벌렸다.

"혁. 이거 탈세하는 게 분명해."

"그럴 사람들은 아니야."

"그럼 유전자 결합 슈퍼 솔져? 초능력자?"

"그런 사람들이 가수 할 리는 없지."

"Holly Jesus."

종혁도 놀라웠다.

고개를 저은 종혁은 친구들과 함께 집으로 향했다.

저녁을 같이 먹고, 다 함께 중간고사 공부를 하기로 했기 때문이다.

즐거운 토요일, 오후에 끝났음에도 공부를 해야 되는 고3.

좀 슬펐다.

"종혁아, 영어 다음에 뭘 익히는 게 좋을까?"

소영이 떠듬거리며 영어로 말했다.

그들 넷은 발음 교정과 회화 실력을 높이기 위해 가끔씩 이렇게 영어로 대화했다.

"일본어 아님 중국어."

둘 다 싫은 나라지만, 훗날을 위해서라면 익히는 게 좋다.

"만약 미국 쪽을 생각한다면 스페인어도 나쁘지 않지. 그치?"

"응. 미국에선 스페인어만 해도 웬만큼 말이 통해. 이민자가 많거든. 딱히 미국에 오는 건 추천하지 않지만."

"왜? 아메리칸 드림 아냐?"

"인종차별이 심해서 그래. 특히 동양인 차별이. 땅이 넓고 인구가 많은 만큼 못 배운 놈들도 많아. 시카고에선 뱅! 총 맞을 수도 있다?"

"마, 말도 안 돼!"

종혁은 겁을 주는 이리나를 무시하며 계단을 오르다 고개를 모로 기울였다. 계단에 처음 보는 화분이 있는 것도 모자라 캠코더가 숨겨져 있다.

"뭐야, 이건?"

"왜? 어? 카메라다. 누가 잊어버리고 간 건가?"

"……그건 지금부터 확인해 봐야지."

종혁의 목소리가 절로 낮아졌다.

캠코더를 이렇게 숨겨 둔다는 건 결코 좋은 의도로 볼 수 없다.

지문이 묻지 않게 조심히 든 종혁은 어머니 식당 문을 밀었다.

딸랑!

"엄마, 요새 무슨 일…… 응?"

"어머니! 저희 왔…… 엑?"

뒤따라 들어오던 세 친구도 깜짝 놀라 다리가 굳었다.

커다란 카메라와 조명, 낚싯대같이 긴 털북숭이 마이크를 들고 있는 삼십여 명의 사람들.

방송국 촬영이다.

그 중앙에 방금 전 통화한 형들이 아기를 안고 있었다.

"브로! 이제 퇴근해? 우리 왔어!"

이쪽으로 향하는 카메라.

'……이 화상들이!'

갑자기 목이 뻣뻣해졌다.

* * *

캠코더는 제작진이 종혁이 올라오는 모습을 찍기 위해 숨겨 둔 것이었다. 유도 국가대표 금메달리스트와 공부로서도 상위 0.1퍼센트인 엘리트의 평소 모습을 날것 그대로 찍으려는 의도였다.

그런데 놀라운 모습이 찍혔다.

"허, 공부 잘하는 애들은 평소에 영어로 대화하네."

"이거 방송 타면 전국의 학생들이 괴로워지겠는데요?"

"부모들 때문에?"

작가는 고개를 끄덕였고, PD는 피식 웃으며 아기 세민이와 눈싸움을 하는 종혁을 봤다.

'그냥 올라오기만 해도 충분했는데.'

이런 모습을 보여 주니 참 고마웠다.

그는 종혁의 말에 집중했다.

"햐, 고놈 잘생겼다. 너 커서 여자 울리면 안 된다."

종혁은 세민이의 얼굴을 쓸어내렸고, 세민이는 마치 말을 알아듣는 듯 그 손길에 얼굴을 맡기며 배시시 웃었다.

제작진까지 뒤집어졌다.

"헉!"

"어머어머!"

"얼씨구? 이 자식 예쁨 받을 줄 아네?"

종혁도 좀 놀랐다.

하지만 웃지 못하는 사람도 있었다.

재우였다.

"마, 말도 안 돼! 세민아! 왜 처음 본 사람에게 웃어 주는 거야! 너 그런 남자 아니잖아-!"

이 멤버 중 세민과 친해지기까지 가장 오래 걸린 멤버가 재우다. 아니, 아직까지도 친해졌다고 볼 수가 없다.

"그거야 네가 무섭게 생겨서 그런 거고."

"지는!"

"소리치지 마. 애 놀라. 그리고 형이라 부르라고 했지? 이걸 확 씨."

재우가 다급히 입을 막자 종혁은 아예 호영의 품에서 세민을 데려와 무릎에 앉혔다. 수호, 소영, 이리나의 눈이 '나도 안고 싶다' 하며 불타오르기 시작했다.

고개를 올려 종혁을 빤히 본 세민은 머리를 종혁의 배에 기대며 편한 자세를 잡았다.

준형 멤버들은 아예 뒤집어졌다.

"호. 애가 낯을 안 가리네. 너 크게 되겠다, 야."

"후후. 세민이가 좋은 사람을 알아보나 보다. 원래 낯을 엄청 가리거든."

"아, 호영이 형."

"말도 안 하고 와서 미안해. 많이 놀랐지?"

"이미 벌어진 일인데 어쩌겠어요. 엄마도 좋아하시니 됐습니다."

주방에서 고개를 내민 고정숙이 세민을 뚫어지게 보고

있다.

“얼른 재혼해서 동생 낳아 달라고 해야 되려나.”

“풉! 콜록콜록!”

“왜요? 우리 엄마 아직 가능…….”

호영이 다급히 종혁의 입을 막았다.

“아니야. 그런 말 하면 안 돼.”

‘왜 안 되는 건데?’

참 순진하다 싶었다.

몽타주는 여자 여럿 울렸을 것 같은데 말이다.

‘그나저나.’

종혁은 허공을 멍하니 바라보는 낯익은 여성을 보았다.

TV에 많이 나오는 미녀 솔로 가수.

여기 왜 있는지 약간 의문이었다.

“인사가 늦었습니다, 최종혁입니다.”

움찔!

‘음?’

깜짝 놀란 그녀가 곧 환하게 웃었다.

“박시윤이에요! 유도 금메달리스트 최종혁 선수 맞으시죠?! 팬이에요! 방콕 아시안게임 결승에서 그 한판! 아니, 그 전에 마치 방금 막 사우나 마친 것처럼 개운해하던 그 여유로운 모습이!”

“어, 네…… 진정하세요.”

“네? 아, 네…….”

이제야 카메라를 인식한 듯 흠칫 놀란 그녀가 얼른 진

정한다.

"엄청 조용하신 줄 알았는데, 아니네요."

"아하하."

"아무튼 좋아해 주셔서 감사합니다. 저도 가수님 팬이에요."

"정말요?"

"저희 국대들 사이에선 SOE, 스위티와 더불어 삼 대 여신으로 통하시거든요. 아, 여전사들 아마조네스도 있구나, 참. 여러분들 노래 들으면서 운동해요."

"와-. 진짜요? 국가대표 선수님들이요?"

제작진도 관심을 드러냈다.

언제나 비밀에 쌓여 있는 태릉 선수촌 이야기.

관심이 안 갈 리가 없다.

"뭘 님까지."

손을 저은 종혁은 호연에게 귓속말을 했다.

"그래서 저분은 여기 왜 온 거야?"

흠칫!

"……조금 있다가 말해 줄게."

종혁은 고개를 끄덕였다.

'역시 뭐가 있구먼.'

왜인지 방금 전 허공을 보는 박시윤의 눈동자 흔들림이 익숙하다 싶었다.

'지루해하고 있었지.'

그리고 그 안에 초조함이 깃들어 있었다.

무서운 뭔가에 쫓기듯 겁먹은 사람처럼.
종혁의 눈이 가늘어졌다.

* * *

식사를 마친 모두는 종혁의 집으로 향했다.
"와, 집 좋다!"
"넓어-!"
종혁은 경악하는 형들을 보며 의아해했다.
"처음 와 본 것도 아닌데 왜 그리 놀라? 건망증이야?"
"쉿. 쉿. 방송에선 원래 이래야 하는 거야."
"아, 그래?"
종혁은 PD를 봤다가 고개를 돌렸다.
방금 전 멘트에 빵 터져 있었다.
"……열심히 사네. 힘내."
"으응."
종혁은 준형의 품에 안겨 낯선 곳을 경계하는 세민의 모습을 발견하고 방으로 들어가 곰 인형 하나를 가져왔다.
"자, 세민아. 여기 보자."
-달링 알러뷰!
"꺄우?!"
세민뿐만 아니라 사람들의 시선이 집중됐다.
인형이 말을 하고 있었다.
"종혁아, 그거 뭐야? 인형이 왜 말을 하지?"

세민이 호기심을 드러내자 엄마 마음이 발동한 호영이 물었다.

"아."

종혁은 눈을 빛냈다.

'이거 잘하면?'

생각을 정리한 종혁이 입을 열었다.

"아는 분께서 이런 게 있다고 보내 줬어."

보름 전, 시제품이 나왔지만 제대로 광고를 하지 않은 터라 아직 반응이 그리 크지 않았다.

"남자한테 왜 줬는지 모르지만. 아, 근데 이거 녹음도 할 수 있다?"

"진짜?"

"어, 한 5초 정도지만. 여기 버튼을 꾹 눌러서."

-삐!

"세민아, 사랑해."

종혁은 5초 후 다시 인형 속 버튼을 눌렀다.

-세민아, 사랑해.

"꺄아?"

"우와!"

종혁은 이후로 '어마마마, 만수무강하십시오', '메리 크리스마스' 등 여러 멘트로 녹음을 했다.

사람들의 눈이 더욱 빛났다.

"아우으."

"응? 세민이 너도 해 보겠다고?"

손을 뻗어 허우적거리는 게 마치 마음에 쏙 드는 장난감을 발견한 것 같다.

삑!

"아우으이으!"

5초 후 세민이의 옹알이가 나오자 준형을 비롯한 다섯 명의 눈빛이 돌변했다.

"종혁아! 이거 어디 가면 살 수 있냐?"

"평소에도 세민이 목소리 들을 수 있잖아!"

"아니지! 세민이가 우리 목소리를 들을 수 있는 거지!"

'끝났네.'

이 프로그램은 준형의 그룹을 전 연령층에게 각인시킨 프로그램이다. 육십대 할머니도 '아, 아기 키우는 걔들?'이라고 말하게 만든 국민 오락 프로그램.

이 프로그램으로 인해 이들 그룹의 팬덤은 전 연령층으로 확산되었는데, 여기에서 말하는 인형을 선보였다.

전국에서 주문 전화가 걸려오는 게 벌써부터 들리는 듯했다.

"이거? 아무 인형 가게나 가면 될걸?"

종혁은 속으로는 흐뭇하게, 겉으로는 심드렁하게 답했다.

* * *

"수고하셨습니다!"

촬영이 끝나고 제작진이 철수하고 세민이도 부모님을

따라 떠나자, 준형들과 박시윤의 표정이 굳었다.

"매니저 형. 우린 커피 좀 마시고 갈게요. 종혁이랑 오랜만이잖아요."

"음. 그래. 행사 가야 하니까 한 시간 안에는 내려와."

"네!"

매니저와 코디마저 떠나자 종혁은 박시윤을 봤다.

호영을 제외한 준형들이 몸을 일으켰다.

"어이구. 그동안 뭐가 달라졌는지 구경 좀 할까?"

"소영. 안내해!"

"아, 진짜 귀찮은 오빠야."

"허리 업! 빨리!"

"하. 애나, 가자. 종혁이 집 소개시켜 줄게."

"응!"

그렇게 눈치 빠른 그들이 소영과 수호도 데려가자 종혁은 호영과 박시윤을 봤다.

호영이 걱정 어린 표정으로 박시윤을 봤다.

"내가 말할까, 시윤아?"

……끄덕.

고개로 대답하는 박시윤의 낯빛이 어두워졌다.

"종혁아. 너 검사님이나 형사님들하고 친하지? 전에 여기 완공식 때 보니까 그렇던데……."

그제야 왜 찾아왔는지 이해한 종혁의 머릿속이 바빠졌다.

"설마 사기 당했어요? 아님 술 먹고 사고를? 마약? 뭐든 바깥으로 드러나면 안 된다는 거죠?"

종혁의 눈이 냉정해지자 박시윤도 식겁해 손을 저었다.

“무, 무슨?! 그런 게 아니야! ……커야.”

“예?”

“스토커야, 스토커. 시윤이가 스토커에게 시달리고 있어.”

“스토커? 아.”

종혁의 표정은 펴졌지만, 마음은 무거워졌다.

종혁은 박시윤을 봤다.

“사생팬으로 착각하시는 건 아니죠?”

……도리도리!

고개를 저은 박시윤이 핸드백에서 챙겨 온 쪽지를 꺼내 보여 줬다. 종혁은 가장 상단 ‘사랑하는 내 여자친구 시윤아’라는 글귀를 보자 스토커임을 깨달았다.

“이 밖에도 전화를 걸어서 어디 다녀왔냐, 나 보고 싶지 않았냐. 마치 애인처럼 말하고…….”

전화를 받지 않으면 죽이겠다는 협박을 하고, 팬들 모르게 숙소를 옮겼는데도 새벽에 찾아와 벨을 누르는 등 온갖 짓거리를 저질렀다고 한다.

“가, 가끔은 침대에도 온기가…….”

박시윤의 눈에 눈물이 고였다.

종혁의 얼굴이 와락 일그러졌다.

‘위험하다!’

주거침입까지 했다면 정말 위험한 단계이다.

“신고는 해 봤어요?”

“했는데…….”

종혁은 박시윤이 잇지 못하는 말이 무엇인지 알아차렸다.

경찰도 처음 몇 차례는 움직였을 것이다. 그러나 그때마다 스토커는 모습을 보이지 않았을 테고, 그런 상황이 반복되자 시큰둥해졌을 것이다.

그러면 안 되는데도.

'후, 미안합니다.'

이 시대, 아니, 미래에도 스토킹 범죄는 그리 심각하게 다뤄지지 않는다.

이 시대는 더욱 심했다.

아직은 열 번 찍어 안 넘어가는 나무 없다는 말이 공공연하게 나도는 시기. 웬만큼 깨어 있지 않고는 스토킹과 반해서 따라다니는 걸 구분하지 못한다.

'한때 경찰이었던 사람으로서 대신 사과드립니다.'

그리고.

까득!

'앞으로 나설 자신도 없는 찌질한 새끼 주제에 사람을 농락해?'

이를 간 종혁은 몸을 일으켰다.

"어디 가?"

"잠시만요."

베란다로 걸어간 종혁은 문을 활짝 열고 정혁 빌딩 근처의 차도와 보도를 빠르게 살폈다.

"……저놈인가?"

거리를 지나다니는 수많은 사람들 중 한 남성이 이쪽을

뚫어져라 쳐다보고 있다가 재빨리 고개를 숙이고는 사람들 사이로 파고든다.

"우연히 하늘을 보다 고개를 내린 걸 수도 있으니까."

일단은 용의자다.

도심에서 하늘을 쳐다보는 사람은 드무니 말이다.

종혁은 핸드폰을 들었다.

—으하핫! 내 보물 종혁아! 무슨 일이야? 드디어 경찰이 되고 싶다고 결정한 거야?

"삼촌. 다른 삼촌 두 분만 저희 집에 보내 주실 수 있어요? 비밀리에."

—……무슨 일인데?

김종두 과장의 음성이 낮아진다.

종혁은 사정을 설명했고, 김종두 과장은 이를 갈았다.

—씨벌, 개새끼네! 그런 새끼들 때문에 가만히 있는 남자들까지 욕먹는 거지!

"남잔지 여잔지는 아직 몰라요."

—그럼 여자겠냐?

'여자가 여자를 스토킹 하는 경우도 있어요.'

아예 없을 것 같지만, 제법 있다.

—알았어. 도현이랑 승철이 금방 보내 줄게.

"감사합니다."

도현과 승철은 특히 말수가 없는 형사들이다.

전화를 끊은 종혁은 어딘가로 전화를 걸었다.

"예, 권 이사님. 지금 연결할 수 있는 변호사나 판사 중 가장 끗발 센 분이 누굽니까?"

스토커를 잡는 건 문제가 아니다.

이후 처벌이 문제다.

종혁은 스토킹 범죄의 인식부터 바꾸기로 했다.

* * *

은밀하게 도착한 형사들은 박시윤이 모은 몇 가지 증거와 증언에 분노를 터트렸다.

"이런 씨벨놈은 아주 거시기 뿌리를 뽑아 버려야 해!"

"따뜻한 밥 먹고 이렇게 할 짓이 없나? 정신병자 아냐, 이 새끼?"

"삼촌들."

종혁이 조용히 말하자 형사들은 아차 했다.

"미안합니다. 너무 화가 나서."

멍해 있던 박시윤이 얼른 손을 저었다.

"괘, 괜찮아요. 그리고…… 감사합니다. 흑!"

이전 경찰들과 다른 반응, 진심으로 화를 내는 그들의 모습에 잘 해결될 것 같다는 안도감과 기대감이 든 것이다.

그에 그녀가 눈물을 보이자 형사들은 당황했고, 종혁은 그간의 사정을 설명했다. 형사들은 같은 경찰들의 무책임한 행동에 무거운 한숨을 내뱉으며 다시 사과를 했다.

종혁은 형사들이 가져와 켠 녹음기를 힐끗 보고 입을 열었다.

"방금 승철 삼촌이 말했죠? 정신병자 아니냐고?"
"어? 어."
"정신병 맞아요, 이거."
"뭐? 진짜?"
종혁은 그러며 해외 사례와 판결 내용을 설명했다.
"사, 살인?"
박시윤의 얼굴이 파랗게 질렸다.
"옆 나라 일본만 봐도 스토킹이 살인으로 번지는 건 흔해요."
내가 가질 수 없다면 남도 가질 수 없다는 마인드다.
"일을 힘들어하면 좋은 곳으로 가야지 하고 살해하는 경우도 있고, 얼굴이 망가지면 나만 볼 수 있겠지 하고 그어 버리는 놈도 있죠."
"아."
"박시윤 씨!"
종혁이 먼저 쓰러지는 박시윤의 등을 받쳤다.
놀라 종혁을 본 그녀는 이내 몸을 추슬렀다.
"저, 정말 미친놈이라고?"
형사들은 심각해졌다.
방금 전 화를 내긴 했지만, 이게 만약 살인으로 이어진다면 이야기가 달라진다.
종혁은 드디어 사태의 심각성을 깨달은 형사들을 봤다.
"그럼 싫다는데 계속 쫓아다니는 놈이 정상이에요? 이런 미친놈을 솜방망이로 두드리면 어떻게 될까요?"

"……다시 쫓아다니겠지. 전보다 심하게."

범죄자는 범죄를 거듭할수록 스케일이 커지고 양심도 사라진다.

"정답."

승철과 도현 두 형사의 표정이 진지해졌다.

"그럼 증거를 최대한 모아야 하는데……."

"일단 국과수에 연락해서 주거침입했다는 증거 채취부터 해야지. 아, 박시윤 씨, 혹시 이것 말고 증거가 더 있습니까?"

"이, 있어요! 숙소에 있어요!"

"그래요? 갑시다."

종혁은 일어나려는 그들의 모습에 한숨을 내쉬었다.

'어이구, 급한 건 알지만.'

"그렇게 가려고요? 그 새끼가 밑에서 기다릴지도 모르는데?"

형사들과 박시윤은 눈을 껌뻑였다.

종혁은 이마를 잡았다.

"후. 일단 사건 접수하시는 거죠?"

"그걸 말이라고 하냐?! 없는 시간을 쪼개서라도 이 새끼 잡아야지!"

"하지만 고소장은 접수 못 해요. 그렇죠, 시윤 씨?"

"……으응. 아무래도."

기자들이 알면 연예계 생활에 타격이 온다.

이제 어쩔 거냐는 듯 쳐다보는 종혁의 시선에 형사들의 미간이 찌푸려졌다.

바들바들 떠는 시윤을 바라본 형사들은 얼굴을 구겼다.

"씨발! 언젠 고소장 받고 수사했나!"

"우리가 고소장이다, 이놈아!"

종혁은 씩 웃었다.

'그렇지. 이래야 형사지.'

불쌍한 사람이 있으면 영장이고 뭐고 일단 저지르고 본다.

그게 형사다. 인간미 넘치는 형사.

"좋습니다. 일단 시윤 씨."

"응?"

"시윤 씨는 매니저 불러서 회사로 가세요. 저희도 곧 뒤따라갈 테니까. 그리고……."

종혁은 박시윤과 형사들을 보며 의미심장하게 웃었다.

"삼촌들은 치장 좀 합시다."

* * *

방에서 이야기를 나누던 호연, 준형들과 박시윤이 떠나자 종혁은 친구들에게 사과했다.

"일이 좀 이렇게 됐네. 오늘은 여기까지 하고 월요일에 보자."

"……괜찮은 거지? 위험한 일 아니지?"

소영과 수호가 걱정 가득한 표정을 짓는다.

"그냥 저 추레한 삼촌들 코디 좀 해 주려는 것뿐이니까 걱정 말고 돌아가."

"추레하긴 누가 추레해! 이 정도면 여자들이 줄을 서겠구먼!"

"너 인마, 대가리 영글었다고 그런 말 하는 거 아니다!"

형사들의 발악에 풋 웃은 소영과 수호는 고개를 끄덕이며 돌아섰다. 그들을 배웅하던 종혁은 이리나의 시선을 느끼곤 의아해했다.

"애나?"

"그런데 해외 사례들은 어떻게 안 거야? 아까 화장실가면서 잠깐 들었어."

"……뭐, 이쪽에 관심 있으니까 찾아봤지."

"흐응. 그래?"

종혁은 이리나의 의뭉스러운 눈빛에 찔끔했다.

"뭐 그렇다 치고. 형사들은 왜 돕는 거야? 네 일도 아니잖아."

'아.'

날카로운 질문이다.

'……머리에 열이 올랐군.'

아직 경찰이 아니다.

관여할 수도 없고 관여해서도 안 된다.

하지만.

"눈앞에 어려운 사람이 있으니 구하려는 거야. 그것뿐이야."

피해자를 구하는 데는 그 어떤 이유도 필요 없었다.

종혁의 눈은 맑게 빛나기 시작했다.

그 눈을 빤히 바라보던 그녀는 피식 웃었다.
"너 오지랖이 넓구나?"
"……한국어 많이 배웠네. 이제 하산해도 되겠다."
"풋. 갈게. 월요일에 봐."
그녀도 떠나자 종혁은 형사들을 봤다.
방금 전 한국어로 대화해서 그런지 형사들의 표정이 오묘해져 있었다.
"형사 티 내실 거면 저 떼어 놓고 가시고, 안 내실 거면 데려가요. 아시죠? 이런 유형 범죄에서 형사가 주위에 얼씬거리면 나가리 되는 거?"
움찔!
"……에이, 씨부럴. 오케이. 단 이번까지다. 제대로 안 꾸며 주기만 해 봐라."
"걱정 마세요. 저도 깊이 관여하고 싶은 생각 없으니까."
그렇게 마음에 없는 소리를 한 종혁은 지하 주차장으로 향했다.
"어, 어? 이 차는?"
"치장을 할 거면 제대로 해야죠."
둥근 원에 삼각 별 엠블럼이 있는 최고급 외제차를 보는 형사들의 눈동자가 흔들렸다.

* * *

명품 슈트를 입고, 초고가 시계를 차고, 강남 숍에서

머리까지 만진 형사들은 결국 넋을 놓았다.

혹여 옷이 구겨질까, 머리가 망가질까 딱딱하게 굳은 그들을 보며 종혁은 웃음을 터트렸다.

"구겨지면 또 사 드릴 테니까 편히 앉으세요."

"뭐, 뭐엇?! 미, 미쳤냐! 이게 얼마짜린데!"

"이 자식이 돈 벌었다고 돈 무서운 줄을 모르네?!"

전신에 걸친 걸 합하면 그들 반년치 월급이다.

"제가 연락할 때마다 고민 없이 출동해 주시는 것에 대한 선물이에요. 그리고 이런 옷들도 있어야 고급 업소나 요정, 하우스에 쉽게 잠입하죠. 나이트클럽도."

"어, 잠입……."

종혁의 말은 비수가 되어 그들을 찔렀다.

확실히 수사비가 없어서 잡지 못하는 범죄자도 많았다.

"저 나중에 경찰 되면 잘 부탁한다는 뇌물이기도 합니다."

종혁의 너스레에 형사들의 표정이 바뀌었다.

"어린놈이 벌써부터 뇌물을 주고, 어? 그러면 안 돼. 그래도…… 어, 편하다. 잠복할 때 이런 차에서 하면 정말 좋겠네."

"푹신하니 아주 그냥! 푹 자도 등 하나 안 배기겠다!"

"크크. 내리시죠."

늦은 저녁, 그들은 JYK 사옥으로 올라갔다.

JYK의 사장 감진영은 두 시간 뒤에 나타난 형사들을 보고 눈을 껌뻑였다. 박시윤은 입을 헤 벌렸다. 두 시간 전

만난 형사들이 맞는지 의심이 들 정도였다. 종혁까지도.

가끔 기업 행사에서 보는 재벌 3세들 같았다.

'형사 맞나? 그리고 이쪽은…….'

어디서 본 듯한데 잘 기억이 나지 않는다.

종혁을 보며 갸웃거리던 감진영은 형사들이 입을 열자 신경을 껐다.

'흠. 이 양반을 이렇게 보네.'

근래 JYK에 벌어진 사건의 내막을 안다면 절대 가만두려 하지 않을 것이다. 종혁은 입을 다물고 집중했다.

"상황은 아실 겁니다."

감진영의 얼굴이 어두워졌다.

"이렇게 찾아 주셔서 정말 감사합니다. 그동안……."

감진영은 마음이 격해져 말을 잇지 못했다.

박시윤은 그가 위약금까지 물어 가며 데려온 가수다.

순수하고 해맑고. 그래서 더 무리한 스케줄에 망가지기 전에 데려왔다. 그렇게 데려온 그녀건만 고통받는데도 도울 수 없어 얼마나 괴로웠는지 모른다.

보안이 좋은 곳으로 옮겨 주고 싶지만, 지금 숙소로 옮긴 것만 해도 엄청나게 무리를 했다.

"늦게 와서 죄송합니다. 고생 많으셨습니다."

"이제 걱정 푹 놓으십시오. 그 새끼 잡아서 어떻게든 콩밥 먹일 테니."

"그렇게 말해 주시니 마음이 놓이는군요. 그런데 어떻게 하실 생각이신지……."

그동안 경찰들이 미흡하게 대처해 줘서 불신이 생긴 그다.

"그게 어……."

종혁은 승철이 버벅거리자 입을 열었다.

'아까 설명해 줬는데도, 쯧.'

"여기 형사 두 분이 매일같이 번갈아 가며 박시윤 씨 숙소를 들를 겁니다. 늦은 저녁, 은밀한 시간대에."

"네? 그, 그러면?"

감진영과 박시윤의 머리에 스캔들이란 세 글자가 떠올랐다.

그것도 아주 문란한 스캔들이다.

아무리 범인을 잡기 위해서라지만, 자칫 가수 인생이 끝날 수 있다.

"아, 스캔들은 걱정하지 않으셔도 됩니다. 박시윤 씨 숙소가 있는 라인에 방을 빌릴 테니까요. 위층이나 아래층 정도로요."

"아, 그러면 기자들은 모르겠군요!"

커튼만 열지 않으면, 밖에서 지켜볼 기자들은 알 수 없다.

"그리고 시윤 씨 숙소에 침입하는 그놈이 알 수 있게 흔적을 남길 겁니다. 콘돔 같은 문란한 흔적을."

이 이야기를 처음 듣는 감진영과 박시윤이 입을 크게 벌렸다.

"……그, 그럼 그놈이 사고를 치지 않을까요?!"

박시윤을 애인처럼 여기는 놈이다.

그런데 다른 남자와 뒹군 흔적이 드러난다?

칼부림 나는 거다.
박시윤도 크게 떨었다.
종혁은 입술을 비틀었다.
"그걸 위해섭니다."
"예?"
"질투심에 눈이 멀어 돌이킬 수 없는 사고를 치라고. 우리 영역으로 쳐들어와서."
"영역이요?"
"지켜보시면 압니다."
종혁은 의미심장한 미소를 지었다.

* * *

늦은 아침의 아파트 쓰레기장.
중년 여성들이 모여 이야기를 나눈다.
"어제 우리 라인에 꽤 사는 청년이 이사 온 것 같더라고요."
"어머? 그 라인이에요? 어쩐지 모르는 외제차가 있더라니."
"그런데 거기 그 딴따라 있는 곳 아니에요? 모르는 애들이 진 치고 시끄럽게 구는."
"에휴. 정말 얼른 이사를 가라고 해도 말 안 듣고. 맞아, 그러고 보니 그 청년 그 딴따라 집 위층……."
여느 날처럼 똑같이 수다를 떠는 그들의 뒤로 사십대

중반의 경비원이 스쳐 지나간다.
"수고하십니다."
"호호. 네, 수고하세요."
모자를 살짝 드는 그와 인사를 주고받은 중년 여성들은 다시 수다를 떨었고, 경비는 순찰을 도는지 한 아파트로 들어가 엘리베이터에 올라탔다.
지이잉!
"으흐흥!"
띵!
콧노래를 부르며 내린 그는 잠금장치가 무려 일곱 개나 되는 하나의 문 앞에 섰다.
"하나 더 늘었네. 참 나, 정말 깍쟁이라니까."
얼마 전에도 전화로 싸운 후 경찰들이 주위를 맴돌았고, 그럴 때마다 잠금장치가 추가됐다.
싸울 때마다 그러니 조금 짜증이 났다.
"그래도 어리고 예뻐서도 참는다."
이 잠금장치가 그녀에게 도움도 되기에 참는다.
"사생 놈들이 쳐들어오면 어쩔 거야."
장갑 낀 손으로 품 안에서 길쭉한 막대 두 개를 꺼내 든 그는 가장 위의 열쇠 구멍에 밀어 넣었다.
드르륵! 툭툭! 달칵!
일곱 개의 잠금장치가 열리는 건 순식간이었다.
그렇게 문을 열고 들어간 그는 순간 멈칫했다.
"킁? 킁?"

그는 미간을 좁혔다.
신발장까지 풍겨 오는 라벤더 향.
만날 맡던 냄새가 맞는데, 뭔가 흐트러진 느낌이었다.
의아해한 그는 이내 어깨를 으쓱이며 허리를 숙였다.
“에휴. 신발 좀 정리하며 살라니까.”
신발 갈아 신는 공간에 어지러이 널려 있는 운동화나 구두.
그것들을 정리한 그는 마치 본인의 집처럼 안으로 들어갔다.
그리고 다시 멈칫했다.
방금 전보다 더 큰 위화감이 그를 강타했다.
“……아닌데. 똑같은데?”
여기가 아닌, 전에 살던 집을 처음 찾아왔을 때는 이것저것 널려 있어 돼지우리가 따로 없었지만, 몇 번 청소해 주자 지금까지 말끔하게 유지하려고 노력하는 기특한 여자 친구 시윤이다.
어린데도 이러긴 쉽지 않다.
“일주일 만에 와서 그러나?”
어깨를 으쓱인 그는 냉장고를 확인하고 화장실도 청소했다.
“음. 예비 장모님이 왔다 가셨나 보네. 그래, 밥을 해 먹는 게 좋지. 어? 아이 진짜. 칫솔 새것 꺼낸 지 얼마나 됐다고 또 꺼낸 거야?”
그렇게 둘러보며 정리할 건 정리한 그는 안방으로 향했다.

잔뜩 흐트러진 침대가 그를 반겼다.

"쯧쯧. 또 어지르는 성격 나온다. 그렇게 말하면……."

세탁을 하기 위해 이불을 걷던 그는 무언가를 발견하곤 덜컥 굳었다. 시트에 점점이 찍혀 있는 빨간 얼룩들과 침대 바로 밑에 떨어져 있는 탁한 액체가 든 늘어진 콘돔.

그리고 이불에서 나는 낯선 남자 향기.

그의 머릿속이 하얗게 변했다.

"어…… 어…… 나, 나는 아닌데?"

불면 날아갈까 쥐면 터질까 만져 보지도 못한 여자친구다.

패닉에 빠진 그는 침대 옆 서랍장 위에 놓인 남자 시계도 발견했다. 그는 그제야 정신을 차렸다.

"……이 개 같은 년이-! 감히 바람을 펴-?!"

그것도 R자로 시작하는 초고가 명품 시계를 가진 부자다.

머릿속에서 상황이 정리된 그는 재빨리 핸드폰을 들어 전화를 걸었다.

"이 씨발년! 얼른 안 받아?! 받으라고, 이년아!"

그렇게 몇 번. 결국 전화는 받지 않았다.

"으아아아아아!"

그는 손에 잡히는 대로 집어 던지기 시작했다.

"후욱! 후욱!"

까드득!

그의 입안에서 이가 갈렸다.

"그래. 돈이 좋다, 이거지? 너도 다른 년들처럼 부자가 좋다…… 아니지."

그의 머릿속에 스폰이란 두 글자가 스쳐 지나갔다.

"……하아. 이 바보야. 돈이 필요하면 말을 하지."

금방이라도 울 듯한 얼굴로 화장대로 걸어간 그는 화장대에 놓인 메모지를 꺼내어 무언가를 적기 시작했다.

언제나처럼. 돌아오지 않는 답장을 바라며.

"내가 못나서 미안해. 기다려. 내가 얼른 돈 모아서 곧 널 그 지옥에서 구해 줄게. 그러니 대답만 좀 해 주라. 그만 좀 튕기고."

그 말을 남기며 눈물을 뚝 흘린 그는 자신이 어질러 놓은 걸 모두 정리하고서야 집을 빠져나갔다.

그러나 며칠 후.

"으아아아아악!"

원하고 원하던 답장이 왔다.

하지만 그가 원하던 게 아니었다.

-나 남자친구들 생겼으니까 꺼져.

믿기지 않는 말. 깨끗한 물처럼 순수한 그녀가 썼다고는 생각할 수 없는 글귀이다.

그러나 오늘도 어질러진 이불에 남아 있는 낯선 남자의 향기.

며칠 전과 다른 향수, 다른 시계.

"후욱, 후욱. 그래. 너도 다른 년들과 똑같다 이거지? 순수하게 웃어 주던 그 모든 게 내숭이었다 이거지?"

순간 왜인지 모르게, 그의 머릿속에 며칠 전 쓰레기장

에서 들은 이야기가 떠올랐다.

우연일 테지만, 이 꼴을 겪고 나니 우연처럼 느껴지지 않는다.

며칠 전 발견한 낯선 남자의 흔적.

때마침 그 전날 이사 온 부자 청년.

주차장에 세워진, 얼마 전 JYK로 들어갔던 것과 똑같은 외제차.

이를 간 그는 위층으로 올라가 문에 귀를 대고 기척을 살폈다.

띵동띵동!

한참을 기다려도 기척이 없다.

바로 문을 따고 들어간 그는 안방에서 며칠 전 봤던 시계를 발견하곤 큭큭 웃었다.

이놈이 맞았다.

은밀하게 만나려고 이렇게 집까지 산 부자.

"순수했던 너도 결국 이 더러운 세상에 물들었구나. 그럼…… 죽어서 순수함만 있는 세상으로 가야지."

이를 빠드득 간 그는 집을 빠져나갔다.

문을 잠그는 것도 잊은 채 그의 두 눈이 흉흉하게 빛났다.

그리고 그 모든 건 두 집안에 설치된 초소형 카메라와 녹음 장치에 녹화되고 있었다.

몇 시간 후, 내용을 확인한 그들에게 침묵이 내려앉는다.

"……진짜 미친놈 맞네."

더욱이 사십대, 박시윤은 딸뻘이다.
오바이트가 쏠렸다.
"지금 딸까?"
증거는 모두 갖췄다.
비밀리에 지문과 머리카락도 채취했다.
얼굴도 알고 있으니 덮치기만 하면 된다.
종혁은 얼굴이 붉으락푸르락 일그러진 형사들을 무심히 봤다.
"이 새끼 지금 따면 뭐로 엮을 수 있는데요? 쥐똥만 한 벌금, 구류 또는 과료형?"
뭐든 경범죄 수준이다.
이 시기, 아니, 미래까지 스토킹 범죄는 중히 다뤄지지 않는다.
"아니지. 이 정도면 주거침입에 협박죄 성립이지."
"그래도 길게 살아야 두 바퀴네요."
2년. 애정망상형 범죄자가 교화하기엔 짧은 시간이다.
스토커 본인이 피해자에 의해 사랑을 받고 있다는 환상을 가지는 애정망상형.
"애, 애정망상형?"
처음 듣는 단어에 형사들은 당황했다.
"스토킹도 여러 가지로 분류할 수 있으니까요. 이 중 애정집착형은 사생팬. 나를 바라봐 주길…… 넘어가고. 아무튼 이 새끼 2년만 살고 나오면 증오범죄 저지를 확률이 80퍼센트 이상입니다."

증오범죄. 터지면 강력 사건이다.

형사들의 엉덩이가 들썩였다.

"그러니 이렇게 하는 게 어때요?"

형사들은 종혁이 하는 말에 눈을 동그랗게 떴다.

* * *

새벽, 아파트에 연예인 차량으로 보이는 벤 한 대가 주차를 한다.

드르륵! 탁!

"수, 수고하셨어요."

불안하게 흔들리는 박시윤의 눈동자에, 매니저는 한숨을 내쉬었다. 코디가 얼른 입을 열었다.

"오늘도 같이 있어 줄까?"

"아뇨. 괘, 괜찮아요. 모레 봐요."

"……그래. 푹 쉬어."

박시윤은 얼른 아파트 안으로 들어갔고, 그녀의 방에 불이 켜지고 나서야 매니저와 코디는 돌아갔다.

그리고 잠시 후, 아파트에 외제차 한 대가 들어섰다.

탁!

한 사내가 통화를 하며 차에서 내렸다.

"응, 그래. 도착했어. 옷만 갈아입고 내려갈게. 에이, 내가 있는데 뭐가 무서워. 어휴, 겁쟁이. 금방 갈게."

주차장을 크게 울리는 사내의 목소리.

전화를 끊은 사내는 어깨를 펴며 아파트 안으로 들어갔다.

가로등 불빛이 닿지 않은 어둠 속에서 이 갈리는 소리가 들렸다.

“까드득. 개 같은 연놈들.”

그 말을 끝으로 어둠은 다시 침묵했다.

곧 박시윤 위층의 불이 켜졌다 꺼지고, 계단 불빛이 켜졌다. 박시윤이 사는 층의 계단 불빛도.

계단 창문이 닫혀 있어 시윤을 타락시킨 장본인의 얼굴을 볼 수 없는 게 한스러울 뿐이다.

그렇게 얼마의 시간이 지났을까.

박시윤 집의 불빛이 모두 꺼지고 2시간이 흐른 뒤, 어둠이 요동치며 한 사내를 토해 냈다.

얼굴이 일그러진 그는 아파트로 향했다.

저벅저벅.

새벽 침묵이 내려앉은 주차장에 살기 가득한 발자국 소리가 울렸다. 그리고 한 차량에서 그걸 지켜보던 누군가가 스윽 몸을 일으켰다. 형사 도현이었다.

“하, 새끼. 더럽게 꿈지럭거리네.”

그래도 차가 외국산이라 등이 배기지 않아서 버틸 수 있었다.

그는 무전기를 들었다.

치익!

“스토커. 지금 올라갑니다.”

* * *

드르렁!

레이스 커튼이 드리워진 침대 위 이불 속, 상의를 벗은 단발머리 여성과 남성이 코를 골며 자고 있다.

침대 옆 희미한 주황빛 조명이 그들을 더 깊은 곳으로 인도한다.

짜악! 짝!

"크헉?!"

눈앞에 불똥이 튀자 벌떡 일어난 여성, 아니, 왜소한 사내와 듬직한 사내는 자세를 취했다가 굳어 버렸다.

한심하다는 듯 보는 김종두 과장의 시선 때문이다.

"잘한다. 잠이 오냐?"

불 하나 켜지지 않은 어둠 속, 낄낄 웃음소리가 퍼진다.

"어우, 침대가 좋네요."

"과장님도 누우실래요? 잠이 솔솔 옵니다."

코골이 소리에 호기심이 생겨 나왔던 박시윤도 풋 웃는다.

범인이 사십대라서 더욱 충격을 받았던 그녀. 옥죄이던 심장이 지금 이 순간만큼은 전처럼 편히 뛴다.

팀원들의 능청스러운 말을 들은 김종두 과장의 얼굴이 빨갛게 달아올랐다.

"죽는다, 진짜."

"충성!"

"시끄러워."
아옹다옹하는 형사들.
그걸 지켜보는 종혁의 눈빛이 아련해진다.
'그래, 이게 잠복이지.'
이렇게 시시껄렁한 대화도 하며 버티는 게 얼마 만인지.
한상원 때는 느끼지 못한 즐거움이다.
-치익! 스토커. 지금 올라갑니다.
순간 모든 형사들의 눈빛이 돌변한다.
"위치로."
김종두 과장의 나지막한 음성이 울리자 모두 제 위치로 향한다.
"자, 이제 잡아 볼까?"
"어우. 도가니 굳는 줄 알았네."
공기가 날카로워졌다가 가라앉고, 서늘한 침묵이 내려앉는다.
그 모습이 옛 향취를 더욱 짙게 만들며 몸을 달군다.
다시 현장에 와 있는 느낌.
한상원 때는 약간 미진했던, 꽉 찬 느낌.
절로 신경이 곤두서며 날카로워진다.
동료와 함께 있어 든든해진다.
종혁의 몸이 들썩였다.
고개를 끄덕이며 몸을 돌린 김종두는 빤히 바라보며 무언가를 갈구하는 종혁의 눈빛에 의아해했다.
"응? 왜 그렇게 쳐다보냐?"

"네? 저도…… 아."
'맞아. 나 형사 아니지.'
회귀 후, 느끼지 못했던 소외감이 가슴을 훅 파고든다.
"흐흐. 지금부터 잘 지켜봐. 형사가 뭔지 보여 줄 테니까."
김종두 과장은 이런 이유로 종혁의 참가를 허락했다.
"들어가자. 들어가시죠, 박시윤 씨."
"아, 네."
그들은 작은 방으로 향했다.
초소형 카메라들과 연결된, 수십대의 모니터가 있는 작은 방.
문 앞에 옹기종기 모여 있던 형사들이 박시윤과 종혁을 안쪽으로 인도한다. 마치 보호해야 하는 피해자처럼.
그 순간 형사들과 벽이 느껴지고, 소외감이 더 커진다.
가슴이 답답해졌다.
'나도 함께하고 싶다.'
울컥 욕심이 솟았다.
"조, 종혁아."
"……괜찮아요. 금방 끝날 거예요."
종혁은 박시윤의 떨리는 손을 잡고 토닥이며 생각에 잠겼다.
트드득!
미세한 소리가 거실을 울린다.
"쉿!"
작은 소음조차 숨을 죽였다.

묵직하게 가라앉은 종혁의 눈동자가 많은 생각으로 흔들렸다.

*　*　*

박시윤 집 현관문에 귀를 가져다 댄 그는 조심스럽게 잠금장치를 땄다.

문이 열리자 소리를 죽이며 들어온 그는 품에서 칼을 꺼내 들며 안방으로 향했다.

스르륵!

안방 문을 연 그는 침대 옆 조명에 어스름히 비치는 두 개의 실루엣을 보자마자 눈이 뒤집혔다.

어스름히 드러난 맨 어깨.

“그래. 이제 순수함만 있는 세상으로 가자.”

그는 칼을 높이 쳐들었다가 박시윤을 향해 그대로 찔렀다.

슈아악!

그 순간.

퍼억!

“헉!”

콰앙!

배를 걷어차인 그는 유리창에 부딪치며 쓰러졌고, 칼이 바닥을 뒹굴었다. 그 순간 집안 전체가 깨어나기 시작했다.

타다닥 불이 켜지더니 누군가 안방 창문을 열며 넘어오고, 안방 문이 열리더니 웬 사람들이 난입했다.

당황한 그는 재빨리 일어나려고 했지만, 침대 위에 누워 있는 사람이 그의 턱을 걷어차는 게 먼저였다.

"어딜, 이 새끼야!"

빠악!

"아악!"

'뭐, 뭐야? 뭔데?!'

그는 정신을 차리지 못했다.

하지만 난입한 사람들은 그의 사정을 봐주지 않았다.

그의 턱을 걷어찬 승철은 단발 가발을 벗어 던지며 그의 팔을 뒤로 꺾었다.

"이 씨부랄 새끼!"

뿌드득!

형사 승철은 놈의 팔을 부러트릴 듯 힘을 주었다.

"아아악!"

"당신을 상습적 주거 입 및 협박, 그리고 명백한 살인 의도를 가진 살인미수 혐의로 현장 체포합니다!"

"아악! 왜 이러는데! 놔아!"

"몇 놈 더 붙어!"

"예!"

우르르 몰려와 짓누르는 사람들.

너무도 당황한 그는 고개를 돌리다 사람들 너머 종혁의 품에 안겨 이쪽을 공포와 경멸 어린 눈으로 노려보는 박시윤을 발견하고 다시 이성이 끊겼다.

"이 개 같은 년아! 네가 어떻게 나한테-!"

그는 어긋난 배신감에 울부짖었고, 종혁은 그를 짓누르는 형사들을 빤히 응시했다.

* * *

우글우글, 와글와글.

"휘유. 많구먼."

밑을 힐끔 내려다본 김종두 과장이 십여 명의 기자들을 보며 혀를 내두르다 거실을 본다.

거실 소파엔 이불로 몸을 감싼 채 바들바들 떨고 있는 박시윤과 그녀를 위로하는 종혁이 앉아 있다.

스토커는 작은 방에 결박된 채 형사들의 감시를 받고 있다.

"허헛. 저놈 진짜."

이건 종혁이 검거한 거나 마찬가지다.

더 나아가 스토킹 범죄 수사에 새로운 패러다임을 일으켰다.

"초소형 카메라에 녹음 장치……."

들어 보니 청계천산 물품들이다. 경찰이 쓰는 것과는 비교도 안 되는 퀄리티의 물품들.

그보다 파격적인 건 연인 위장이다.

스토커가 감시할 걸 대비해 고급 차량을 빌렸다는 것에 이마를 때린 그다.

그렇게 덫을 깔아 놓고 알아서 들어오게 만든다.

그리고 일을 저지르는 그 순간에 체포한다.

함정수사건 뭐건 이러면 빼도 박도 못 한다. 흉기를 든 순간 우발적이건 아니건 무조건 살인미수다.

증인마저 형사이니 내뺄 도리가 없다.

그동안 검거를 했어도 증거가 미흡해 어쩔 수 없이 풀어 주거나 낮은 형량만 때렸던 스토커들.

요 몇 년 경찰을 골치 아프게 만든 사생팬들.

"이제 다 죽었다, 이 새끼들아."

기기들을 매입하는 데 예산이 좀 많이 들 뿐, 한번 구매하면 몇 년이고 쓸 수 있다. 종혁처럼 윗집을 빌리지 않아도 머리만 잘 굴리면 다른 걸로 대처할 수 있다.

앞으로 형사들의 짐이 덜어질 걸 생각하니 김종두 과장의 어깨가 으쓱해졌다.

"저놈이 형사였으면……."

그랬다면 종혁이 수갑을 채우는 모습을 대견하게 구경했을 터다. 범인을 잡은 거나 마찬가지인 종혁이 정작 범인에게 수갑을 못 채우니 이렇게 아쉬울 수가 없다.

"하. 정말 얼른 경찰 되자, 종혁아."

그의 눈이 욕망으로 타올랐다.

"그런데 뭔 이야기를 저렇게 나누는 거야?"

그렇게 의문의 시선을 받은 종혁이 박시윤의 손등을 쓸어내렸다.

"정말 큰 결정하신 거예요."

여자로서, 연예인으로서 치명적일 수 있는 일을 대대적으로 알리기로 했다. 그래서 기자들을 부른 거다.

결코 쉬운 일이 아니다.

칼날의 공포에 떨고 있던 그녀가 억지로 웃었다.

"내, 내가 밝혀야 다른 선배, 후배님들, 그리고 일반 피해자들이 구원받을 수 있다고 했잖아."

그랬다. 종혁은 그렇게 설득했다.

첫 케이스가 중요하기 때문이다.

그렇게 판례가 남아야 이후 스토커들의 처벌도 강해진다.

종혁의 표정이 어두워졌다.

"그렇게 말하긴 했지만, 강요한 건 아니었습니다. 지금이라도 늦지 않았어요."

모두 종혁이 인맥으로 부른 기자들이다.

박영일 기자 등 기자들이 믿을 수 있는 연예부 기자들.

"아니. 어차피 난 저……."

"개새끼요?"

"풋. 응. 저 개새끼를 평생 잊지 못할 거야. 그럴 바에는……."

순간 박시윤의 눈에 독이 들어찬다.

"눈 한번 딱 감으면 돼. 이 기회로 우리 연예인들 괴롭히는 사생팬들도 모조리 잡아넣을 수만 있다면 얼마든지 눈감을 수 있어."

종혁의 입가에 미소가 번졌다.

생각보다 더 강단이 있다.

그래서 고맙다.

"그러니까 이렇게 하면 저 개새끼 다, 다신 안 볼 수 있는 거지?"

“걱정 마세요. 최고 형량을 받게 만들 테니까.”

그게 용기를 내 준 그녀에 대한 보답이다.

“어, 어떻게?”

주위에 있던 형사들도 고개를 갸우뚱했다.

‘쉽지 않을 건데?’

지금처럼 언론이 개떼처럼 달려드는 사건이라고 해도 최대 형량은 웬만해선 나오지 않는다.

“지켜보면 알아요. 그러니 시윤 씨는 눈물 흘릴 준비, 오케이?”

박시윤은 최대한 불쌍한 피해자가 되어야 한다.

그래서 화장까지 지우게 했다.

종혁은 특수범죄수사과 형사들을 봤다.

“자. 회사로 복귀. 큼.”

현재 종혁의 입장에선 어울리지 않는 말.

종혁은 목을 긁으며 말을 정정했다.

“이제 복귀하시죠?”

“……그래 볼까?”

“어우. 베란다에 엎드려 있었더니 도가니가…….”

쿵쿵!

“어이. 가자!”

작은 방이 열리며 형사들이 스토커를 끌고 나왔다.

다른 형사들이 스토커가 박시윤을 보지 못하게 장막을 쳤지만, 스토커는 거실 소파가 있는 방향을 향해 소리를 질렀다.

"이걸로 끝일 것 같아?! 이 개 같은 년! 깜빵에서만 나와 봐! 죽여 버리겠어-! 어차피 길어야 1년이야!"

움찔.

박시윤의 어깨가 움츠러들고 형사들의 얼굴이 구겨졌다.

"하, 씨발새끼."

꼴에 또 알아봤나 보다. 아니면 작은 방에 갇혀 있을 때 형사들이 형량에 대해 말했을지도 모른다.

이를 간 종혁은 장막을 친 형사들을 젖히며 스토커 앞을 막아섰다.

"어허이! 종혁아!"

"괜찮아요. 말만 할게요. 진짜로, 진짜로요."

형사들이 찝찝해하면서도 물러서자, 종혁은 죽일 듯 노려보는 스토커를 보며 피식 웃었다.

"야, 찌질이. 네 말처럼 이걸로 끝일 거 같지? 아니야. 내가 너 십 년이 지나도 깜빵에서 나오지 못하게 만들어 줄게."

"뭐?"

"못 할 것 같지? 금방 나올 것 같지? 기대해도 좋아. 이 세상 돈이면 안 되는 거 없더라."

"뭐라는 거야!"

"법정에서 보자는 거야. 찌질아."

"이 개새끼가-!"

"어어? 잡아!"

"놔! 놔아!"

스토커는 형사들에게 끌려 집을 나갔고, 종혁은 한숨을

뱉었다.

'미진하네.'

형사로서 한 말이 아니라서 조금은 아쉽다.

어이없이 쳐다보는 남은 형사들의 눈빛에 아차 한 종혁은 어깨를 으쓱였다.

"시윤 씨, 감정 다 잡았으면 가시죠! 기자님들 기다리다 목 빠지겠어요!"

* * *

박시윤 스토킹 사건은 한국을 들썩이게 만들었다.

가수의 집 안까지 침입하고 주위에 민폐를 끼치는 사생팬이 만연하던 시기라 더욱 주목을 받았다.

더욱이 범인의 나이가 47세.

사람들은 차마 믿을 수가 없었다.

-가수 박시윤 씨를 지독히도 괴롭히고 끝내 살해까지 하려고 했던 스토커 강 모 씨에 대한 공판이…….

사람들이 다니는 거리를 향한 TV에서 스토커 강 모 씨의 맨얼굴이 나온다.

극악 범죄자는 신상을 공개하는 게 당연했던 이 시기.

초췌한 얼굴로 눈물을 흘리는 박시윤의 영상까지 본 사람들이 분노를 터트린다.

"하, 저런 새끼는 아예 사형을 시켜 버려야 된다니까!"

"쳐 죽일 놈! 어떻게 딸뻘한테!"

"그런데 겨우 쫓아다닌 걸로 이렇게까지 해도 되나?"

"뭐? 야! 이게 그냥 쫓아다닌 거냐?!"

"아, 아니, 난 말이 그렇단 거지……."

황당하게도 몇몇 이들은 사람을 죽이려고 한 것은 절대 용서받을 수 없는 일이지만, 누군가를 좋아한다는 게 이렇게까지 욕할 일인가 하는 의문을 품었다.

물론 몰매를 맞을까 차마 입 밖으로 말을 꺼내진 못하지만.

이 시기는 아직 이런 관념이 만연한 시기였다.

그리고 그건 유치장에 갇혀 있는 스토커 강 씨도 마찬가지였다.

"정말이죠? 정말 이렇게만 하면 감형받는 거 맞죠?"

스토커 강 씨의 말에, 같은 방의 오십대 재소자가 침을 튀기며 열변을 토한다.

"그렇다니까! 아무리 나이가 많고, 칼을 준비해서 들어갔다고 해도 눈이 돌아서 그랬다, 죄송하다고 하면 끝이야."

열 몇 살 차이 나는 어린 여자와도 결혼하는데 스무 살 이상이라고 대수일까. 물론 눈살이 찌푸려질 일이지만, 문제될 건 없다.

"내 말 따라 반성문도 100장 써서 판사한테 보냈잖아. 우리나라는 그렇게 쉽게 최대 형량 안 때려."

같은 방 재소자들이 고개를 끄덕인다.

"네가 아무리 제대로 찍혔다고 해도!"

검찰 조사에서 공판까지 단 2주일 걸렸다.

윗선에 찍혀도 제대로 찍힌 거다.

"대체 누구한테 찍힌 거야?"

순간 스토커 강 씨의 머릿속에 종혁이 떠올랐다.

너무도 단호하게 말했던 종혁.

그래서 좀 불안했지만, 스토커 강 씨는 일명 감형의 스페셜 리스트란 사람의 말에 마음을 놓을 수 있었다.

'크크. 내가 풀려나기만 해 봐. 너는…….'

"응. 안 돼. 돌아가. 봐줄 생각 없어."

박시윤 스토킹 사건 담당 판사실, 안경을 낀 사십대 초반의 판사가 반성문을 파쇄기에 집어넣는다.

피해자가 아닌, 판사에게 보낸 반성문.

사랑해서 어쩔 수 없다는 개소리.

재고할 가치도 없다.

나이 때문이라도 더.

띠리링! 띠리링!

그는 핸드폰을 들었다.

"예, 천승호입니다.

-천 판사님, 저 현승엽입니다.

종혁이 준형들의 소속사를 알아볼 때 인연을 맺은 현승엽 변호사. 무려 고등법원 부장판사를 지낸 인물이다.

천 판사의 등이 재빨리 펴졌다.

지방법원 법원장부터 대법원까지 인맥이 쫙 깔려 있는 인물이자 대선배님이다.

-오늘 그놈이 반성문을 또 보냈다고 들었습니다만.

천승호는 혀를 찼다.

아무리 대선배라지만, 변호사가 판결에 영향을 주려 한다.

용납할 수 없었다.

"죄송하지만, 사건 관련 내용은 알려 드릴 수 없습니다. 끊겠습니다."

단호하게 전화를 끊은 그는 머리를 긁적였다. 울컥해서 전화를 끊긴 했지만, 후폭풍을 생각하니 골치가 아프다.

"부장님은 왜 이런 사건을 나한테 줘서."

무려 법원장에서부터 내려온 사건.

부장판사가 그랬다.

이 사건, 언제 어디서든 말이 나오면 안 되기에 몸에 먼지 하나 묻지 않은 놈을 고르려다 보니 너한테 주는 거라고.

이 사건이 앞으로의 스토킹 범죄에 대한 기준이 될 테니 잘 생각하라고.

이 사건, 요새 눈살 찌푸리게 만드는 사생팬도 억제시킬 거라고.

분명 압력이었지만, 그는 개의치 않았다.

아니, 오히려 좋았다.

안 그래도 위의 부탁이나 압력을 늘상 무시한 탓에 또라이로 찍힌 터라 가정법원으로 갈 예정인데, 마지막을 화려하게 터트릴 수 있게 됐다.

"요새 우리 판사들이 솜방망이 처벌이다 뭐다 하던데 잘됐지."

대형 사건임에도 누구도 태클을 걸지 않고, 그의 소신대로 판단할 수 있다.

증거물도 넘쳐 난다. 명백한 살해 의도를 가지고 침입했고, 찌를 때의 모습과 음성도 있고, 검거된 이후 및 호송되기 전 발악하던 모습도 찍혀 있다.

미수일 뿐이지, 살인과 다름이 없다.

이건 그의 소신과 상관없이 답이 정해져 있었다.

어떤 판사가 맡아도 봐줄 수 없는 사건이다.

문제는 형량.

그러나 그는 이미 답을 내린 상태였다.

“흥. 이런 씹새끼는 무조건 최대 형량이지.”

살인미수는 5년 이상 유기징역 및 무기징역에 처한다.

“항소? 해 봐라, 씨발놈아.”

그는 사건 파일 한 귀퉁이에 ‘22년’이라 적었다.

3심까지 가면서 감형을 받는다 해도 최소 15년이다.

출소해 봤자 육십대 노인이다.

일반적인 살인보다 더한 처벌.

무자비하지만, 이렇게 무자비하기에 사건이 맡겨진 걸 모르는 그는 코웃음을 치며 다른 사건 기록을 펼쳤다.

그렇게 그릇된 집착을 한 스토커 강 씨의 인생은 막을 내렸다.

4장. 정하다

정하다

—수법이 악질적이고 보복의 우려가 짙어 사회 격리를 시켜야 한다고 판단하는 바, 본 판사는 가석방 없는 징역 22년 형에 처한다.

땅땅땅!

—으아아! 안 돼! 이건 아니라고!

종혁은 이때를 떠올리며 피식 웃었다.

22년 징역형은 생각지 못했던 듯, 발악하며 판사에게 달려들던 스토커와 그를 잡아 찍어 누른 법원 경찰.

직접 참관을 했던 종혁과 김종두 과장은 판사의 판결이 떨어지자 자리를 박차고 일어나 박수를 쳤다.

회귀 전까지 합해도 이보다 시원한 판결이 없었다.

그리고 이 판결로 인해 경찰에 접수되는 스토킹 신고가 부쩍 늘었다고 했다. 지금까지 스토커의 집착에 홀로 공포에 떨어야 했던 연예인들도 적극 신고를 하고 있었다.

흐름을 탔다고 봐야 했다.

"이런 분이 높은 곳에 계셔야 하는데. 흠……."

툭툭!

"뭐 해?"

경찰 제복을 입은 김종두 과장이 옆구리를 찌른다.

"아? 아."

종혁은 정신을 차리고 주위를 둘러봤다.

커다란 강당, 주위에 제복을 입은 많은 경찰들과 기자들, 지방자치단체장들이 앉아 있다. 그리고 동일고 유도부도.

"그럼 용감한 시민상 수여 순서로 넘어가겠습니다. 호명되는 용감한 시민상 수상자는 단상으로 나와 주십시오."

객석에 앉아 있던, 양복이나 교복을 입은 일반인 몇 명이 호명되자 일어난다.

종혁도 마찬가지다.

종혁은 옆에 앉은 어머니 고정숙의 손을 두드리곤 단상으로 향했다.

"재가 최종혁이야?"

"크. 듬직하네."

제복을 입은 경찰들과 간부들의 눈이 욕심으로 빛나고, 기자들이 플래시를 터트린다.

'흠.'

이전에 용감한 시민상을 받을 때와는 다른 장소.

그러나 종혁에겐 결코 낯설지 않은 장소이다.

특진을 할 때나 상을 받을 때 많이 섰던 본청 강당 단상 위.

감회가 새롭고, 옛 기억들이 새록새록 떠올랐다.

'크. 여기 처음 왔을 때 체포왕을 받았었는데!'

종혁은 마치 그때로 돌아간 것 같았다.

몸과 기억이 추억에 젖어 들어갔다.

"……범인 검거에 큰 기여를 하고, 수사에 필요한 많은 기기를 기부하여 경찰 수사에 이바지한 바, 이에 용감한 시민상과 기여상 상장을 수여하며 명예 경찰에 임명한다. 경찰청장 김관영."

종혁은 이제 쓸모가 없어진 초소형 카메라나 녹음 기기를 모두 기부해 버렸는데, 그 고가의 장비들에 경찰에서는 기여상을 따로 주기로 했다.

종혁은 두 개의 상장을 받아 들며 습관적으로 거수경례를 했다.

"경정 최종혁-! 감사합니다!"

"음?"

"예?"

'어?'

지금 뭐라고 한 거냐는 듯 시상자의 시선과 적막에 물든 강당.

'아차아-!'

추억에 젖느라 정신 줄을 놨더니 입이 제멋대로 움직였다.

눈앞이 깜깜해졌다.

그 순간.

"그래! 형사하자, 종혁아-!"

"목소리 커서 좋다-!"

"푸하하하하핫!"

한바탕 웃음을 터트린 경찰들이 몸을 일으켰다.

짝짝짝짝짝!

"와아아아아아!"

'끙.'

배를 잡고 웃는 어머니의 모습에 종혁은 한숨을 내뱉었고, 그날의 행사는 그렇게 끝났다.

* * *

유도 금메달리스트 최종혁. 경찰 간부가 되고파.

유도선수 최종혁. 경정이 꿈?

신문 헤드라인이 이 말로 장식됐다.

타악!

종혁의 얼굴이 대문짝만 하게 박힌 신문이 책상을 내려찌자 종혁은 어깨를 움츠렸다.

"종혁아."

분노를 머금은 강철선의 부름에 종혁이 헛기침을 했다.

"아닌 거 맞제?"

강철선의 사무실까지 오는 길에 마주친 검사들이 던진 질문.

아직 생각 중이라고 말하려니 강철선의 눈이 금방이라도 울 것 같다.

사무관들도 '제발'이라는 눈빛을 보낸다.

"그냥 말이 헛나온 거라니까요. 분위기에 휩쓸려서…… 그래요. 분위기에 휩쓸려서 그랬어요."

"맞나?"

"그럼요."

"휴."

가슴을 쓸어내린 강철선이 종혁의 어깨를 두드린다.

"그래! 닌 검사가 되기 위해 태어난 놈인기라! 검사가 되기 위해 태어난 놈이 무슨 경찰이고? 내 믿는데이?"

'끙.'

어쩔 수 없이 고개를 끄덕인 종혁은 화제를 돌렸다.

"요샌 좀 어떠세요?"

"안 보이나?"

딱 컴퓨터 놓인 곳만 제외하고 온통 사건 서류이다.

"이 좁은 한국에 뭔 놈의 갱제사범들이 이리 많노. 오줌 싸고 손 닦을 시간…… 아니! 편하다! 음청 편하데이!"

일이 많다고 종혁이 검사를 포기하면 낭패다.

그런 그의 다급함을 느낀 종혁은 피식 웃으며 주위를 둘러봤다.

'여긴 언제나 똑같네.'

탑처럼 쌓인 사건 파일과 어젯밤 여기서 날을 샌 건지 땀 냄새가 나는 강철선의 셔츠. 돌돌 말려 한쪽에 처박힌 침낭.

"요즘은 무슨 사건 보세요?"

"뭐, 언제나 똑같제. 사기꾼들."

강철선이 혀를 차며 사건 파일을 덮는다.

"다 보신 거예요?"

"아, 이건 갱찰로 돌려보낼 거."

"음?"

사건 파일을 본 종혁은 고개를 모로 기울였다.

"이거 검찰에 다이렉트로 꽂힌 사건 아니에요?"

서류 맨 앞에 번호들이 그걸 말해 주고 있다.

"다이렉트로 꽂혔다 캐도 수사할 시간 있겠나? 미스 김, 이거 갱찰로 보내서 체크한 부분 좀 보강해 달라 하이소."

"네, 검사님."

종혁은 미간을 좁혔다.

"조금만 보강하면 된다면 아버님께서 보강해도 되잖아요."

그 편이 훨씬 더 빠르다.

경찰도 작정하고 잡은 놈이면 몰라도, 아니라면 사건 순서가 밀려 증거 보강을 하는 데 시간이 걸린다.

"종혁아. 검사가 괜히 증거 찾는답시고 돌아댕기면 서로 피곤하고 불편하데이."

'맞아. 그렇긴 하지.'

형사였던 사람으로서 검사가 가장 짜증 날 때는 애써 수사해 보낸 사건을 증거가 부족하다고 돌려보낼 때다.

강철선처럼 어떤 증거를 보강해 달라면 양반이다.

그냥 냅다 증거 보강하라며 어딜 보강해 달라고 말하지 않는 인간들이 많다.

그럴 땐 자기는 손이 없어, 발이 없어, 뇌가 없어 하고 욕할 때가 많다. 하지만 그래도 검사가 직접 나서는 경우보다는 낫다.

경찰이 예쁘게 포장해서 토스했는데, 검사가 부족하다 싶어 직접 움직인다? 그땐 지옥이 펼쳐지는 거다.

과장급에서부터 내려오는 내리갈굼.

사람 미쳐 버린다.

"뭐, 정 답답하믄 직접 나서겠지만."

경찰이 감당하지 못할 큰 사건이나 직접 체크해야 할 때도 직접 나선다. 강철선은 이 부분까진 말하지 않았지만, 종혁은 그것만으로도 호기심을 드러냈다.

"오, 그래요? 다른 검사님들도 그래요?"

그런 검사는 거의 못 본 종혁은 강철선의 답을 기대했다.

"거의? 아주 가끔 직접 발로 뛰는 청개구리도 있지만, 그게 뭔 인력 낭비고. 하루에 쳐 내야 할 사건이 몇 갠데."

에어컨 빵빵한 사무실에서 땀을 뻘뻘 흘릴 만큼 열심히 처리해도 쌓이는 게 사건이다.

검사가 직접 현장을 살피는 건 인력 낭비이다.

다만 시간 낭비는 아니었다.

"물론 사건의 개요를 확실히 하기 위해선 현장도 직접 살펴봐야 하지만, 이왕이면 잘하는 사람에게 맡기는 게 낫지 않겠나? 서로 믿고 맡기는 거제."

종혁은 맞다는 듯 고개를 끄덕였다.

"어떻노?"

"뭐가요?"

"검사 말이다, 검사. 이렇게 에어컨 빵빵한 곳에서 일하제, 때 되믄 밥 묵제, 책상머리 딱 앉아가 손과 눈만 움직이믄 되제. 검찰은 다 한 가족이라 웬만한 사고 치지 않고서는 퇴직 걱정도 없제. 세상 편한 직업이 검사인기라!"

"하하핫!"

확실히 부럽다.

때 되면 밥 먹는다는 부분이 제일 부럽다.

"……짜슥. 끝까지 대답 안 하네. 그보다 5월인데 정쑥씨 카네이션은 달아 드렸나?"

"당연히 달아 드렸죠."

꽃다발도 드렸다.

"안 그래도 며칠 뒤 대전에서 열리는 대회 끝나면 주말에 잠깐……."

종혁은 말을 하다 말고 눈을 껌뻑였다.

'1999년 5월 20일경. 대전.'

어떤 사건이 번쩍 하고 떠오른다.

대한민국 역사에 한 획을 그은 사건.

살인에 대한 공소시효를 폐지시킨 끔찍한 사건.

'대전 어린이 사건.'

"와 그라노?"

종혁의 눈빛이 삽시간에 가라앉는다.

"아버님."

"와?"

"박시윤 씨 스토커 사건처럼 어떤 사건이 일어날 걸 알고 있고, 그 범인도 알고 있다면 검사로서 어떻게 하시겠어요?"

"스토킹 사건? 아, 맞네. 니한테 먼저 제보가 들어갔다켔제?"

종혁은 고개를 끄덕였다.

"아직 범죄를 저지르진 않았고요."

"무슨…… 아, 맞네."

스토커가 살인을 결심한 건 종혁과 경찰의 함정수사 때문이다.

그 전까지 스토커는 그저 한 여자를 미치도록 사랑하는 정신병자일 뿐이었다.

물론 그 상태로도 위험했지만.

'그놈아 정신 상태를 보면 가만 냅뒀어도 살인을 저질렀을 테지만…….'

경찰이 그걸 앞당겼다는 건 부정할 수 없다.

즉, 종혁과 특수범죄수사대가 개입하기 전까지 스토커는 주거침입이나 하는 잡범에 불과했고, 강력 사건은 발생하지 않은 것이나 마찬가지였다.

"흠. 아직 일어나지 않은 사건을 검사로서라……."
"네. 일반적인 검사로서."
강철선은 생각에 잠겼다.
살인 바로 직전까지 갔던 사건이다 보니 절로 생각이 많아졌다.
"흠. 일반적인 검사라면 아마도……."
종혁은 이어지는 그의 말에 귀를 기울였다.

* * *

이제 막 학원을 마친 7살 꼬마 아이들이 등에 멘 배낭을 달랑거리며 걷고 있다.
"퐁당퐁당 돌을 던지자."
"누나 몰래 돌을 던지자."
"냇물아 퍼져라."
쪼그만 아이들의 낭랑한 합창에 지나는 사람들의 얼굴에 환한 미소가 번진다.
"학원 다녀오니?"
"네!"
"집으로 곧장 들어가! 오락실 가지 말고!"
"네-!"
소년들이 만날 다니는 길, 슈퍼마켓 할아버지는 흐뭇하게 웃는다.
"고놈들. 대답은 잘한다."

한편, 아이들은 방싯방싯 웃는다.

“아닌데. 오락실 갈 건데. 뽀글뽀글 할 건데.”

“안 돼. 엄마가 오락실 가면 머리 나빠진 댔어!”

“우리 아빠는 등 푸른 생선 먹으면 머리 좋아지니까 또이또이랬는데?”

“웩. 생선 싫어.”

“나도.”

주제가 확확 바뀌는 어린아이들의 대화.

그러다 그중 한 소년이 한쪽을 가리켰다.

“앗! 다 왔다!”

소년이 가리키는 곳을 본 다른 아이들의 얼굴이 거부감으로 물든다.

칠이 벗겨지고, 녹이 슨 펜스가 쳐져 있는 폐공사장의 개구멍.

“윽! 너 또 저기로 가?”

“상민아, 넌 저기 안 무서워?! 난 엄청 무서운데!”

한번 상민을 따라 안으로 들어가 봤던 아이들은 온갖 쓰레기들이 널려 있고, 춥고, 목소리가 울리는 폐공사장을 무서워했다.

“여기가 가장 빨라! 간다! 내일 봐!”

“……응! 내일 봐!”

상민이라 불린 아이는 개구멍 안으로 몸을 들이밀었고, 그 빵빵한 엉덩이가 사라지자 아이들은 몸을 돌렸다.

“잇챠!”

개구멍을 빠져나와 몸을 툭툭 턴 상민은 시멘트 골격만을씨년스럽게 세워진, 짓다 만 커다란 건물을 멍하니 보았다.

"무섭긴 뭐가 무섭다고. 흥!"

상민은 쫄래쫄래 건물 안으로 들어갔다.

그 순간.

"김상민?"

"응?"

고개를 돌린 상민은 의아해했다.

모자를 푹 눌러쓴 낯선 사내가 다가온다.

손가락에 낀 커다란 금반지가 장난감 같아 상민의 시선을 붙든다.

"네. 맞는데요? 아저씨는 누구세요?"

"아, 그래? 그럼 됐다."

"네?"

사내의 품에서 커다란 무언가가 빠져나온다.

"어? 칼이다."

상민은 하늘 높이 쳐들린 칼을 멍하니 바라봤다.

그 칼이 자신에게 매정히 떨어질 때까지.

그 순간이었다.

빠아악!

"큭!"

칼을 떨어트린 사내가 손목을 잡으며 바닥에 떨어지는 무언가를 봤다.

"도, 돌?"

정확히는 시멘트가 뭉친 돌이다.

그는 돌이 날아온 곳을 노려봤다.

"오케이. 거기까지."

그렇게 말하는 종혁의 두 눈이 살의로 일그러져 있었다.

'잘 걸렸다, 이 씨발 새끼야.'

* * *

이 시기 대한민국을 떠들썩하게 만든 대전 어린이 사건.

정확히는 '대전 어린이 난도질 소각 사건.'

7살 어린아이를 칼로 난도질한 것도 모자라, 신나를 부어 불태우기까지 한 끔찍한 사건이다.

상민이란 아이는 현장에서 즉사.

대전 모든 경찰들이 몇 달 동안 수사했지만, 이 사건의 범인은 끝내 잡히지 않았다. 영원히.

그러다 2013년, 이 사건이 한 TV프로그램에 의해 재조명되면서 살인에 대한 공소시효가 소멸되었고, 그로 인해 공소시효가 만료되길 기다리며 도망 다니던 많은 살인범들을 검거할 수 있게 됐다.

즉, 김상민이란 아이가 죽어야 공소시효에 관한 법령이 소멸된다.

하지만…….

"이게 맞아."

공소시효 소멸?
당연히 중요하다.
그로 인해 살인을 저지르고도 뻔뻔히 활개 치는 놈들이 사라지도록 만들 수 있으니까.
그러나 그렇다고…….
“구할 수 있는 생명을 구하지 않을 수는 없잖아.”
대전의 한 폐공사장 입구가 훤히 보이는 어느 빵집 앞.
종혁은 이를 갈며 노려봤다.
‘사건 발생 시각 추정 오후 2시 30분.’
애매한 시간이다.
그렇기에 목격자가 거의 없었던 사건이다.
‘검은색 얇은 항공 점퍼에 청바지, 검은 모자를 푹 눌러 쓰고, 한 손엔 쪼그라든 페트병이 들고 있었다.’
용의자로 추정되는 이의 인상착의이다. 그 외에 결혼 예물 반지 같은 큰 금반지를 끼고 있었다고 했다.
이 페트병은 현장에 버려져 있었는데 여기에서 신나가 검출되었다.
띠리링! 띠리링!
“예, 최종혁입니다.”
―주장! 어디세요?! 감독님이 찾으시는데!
대회가 5시에 시작이다.
“대전에 왔는데, 성심당 빵은 먹어야지.”
―빵!
“5시 전까지 갈 테니까 몸 풀고 있어…… 흡?!”

전화를 받으면서도 밖을 쳐다보던 종혁은 순간 비명이 튀어나오려는 입을 재빨리 막았다.

'저 새끼다!'

검은색 얇은 항공 점퍼에 청바지, 검은 모자를 푹 눌러 쓴 사내.

한 손에 쪼그라든 페트병을 들고 있다. 액체가 담겨 있는 페트병.

회귀 전, 목격자 진술에 의해 밝혀진 용의자의 이동 동선과도 겹친다.

"끊는다!"

ㅡ주장! 난 피자빵!

종혁은 다급히 발을 뗐다.

"잠깐 화장실 좀 다녀올게요!"

"어휴, 빵을 천오백 개나 주문하셨…… 많이 급한가 보네."

아르바이트생의 말을 무시하며 달린 종혁은 공사장 입구에 도착하자마자 숨을 죽이며 동태를 살폈다.

저벅저벅.

거침없이 멀어지는 소리가 희미하게 들렸다.

종혁은 숨과 발소리를 죽이며 뒤를 쫓았다.

그리고 아침에 먼저 와 봐 둔 자리에 숨었다.

사건이 벌어지는 장소가 훤히 보이지만, 정작 그쪽에선 보이지 않는 자리.

종혁은 언제든 튀어 나갈 준비를 하며 신경을 날카롭게 세웠다.

그 순간.
"김상민?"
묵직한 음성이 희미하게 울린다.
'어? 뭐?'
종혁은 당황했다.
'뭐야, 이거? 저 새끼가 김상민의 이름을 어떻게 알아?!'
분명 이 사건은 너무 처절했지만, 원한에 의한 살인 사건이 아니라 사이코패스가 우발적으로 저지른 사건으로 판명됐다.
상민의 부모가 원한에 의한 살인이 아닐 거라고 말했기 때문이다.
'설마 원한이라고?'
"네. 맞는데요? 아저씨는 누구세요?"
"아, 그래? 그럼 됐다."
"네?"
'이런 씨발!'
생각할 시간이 없다.
다급히 뛰쳐나간 종혁은 상민을 향해 칼을 쳐들고 있는 사내를 발견하곤 그대로 땅을 훑으며 걸리는 걸 던졌다.
순간 시간과 시계가 느려지며 종혁이 조준점을 잡을 여유를 주었다.
'뒈져, 이 새끼야!'
슈와아! 빠아아악!
"큽!"

"오케이. 거기까지."

그렇게 말한 종혁은 돌 하나를 더 들며 사내를 향해 뚜벅뚜벅 걸어갔다.

이럴 때일수록 조급해하면 안 된다.

피해자에게 신경이 쏠리게 하면 안 된다.

"넌 뭐지?"

"그냥 지나가던 시민? 오줌 싸러 왔어."

"아, 그래."

'뭐야, 이 새끼?'

종혁은 느긋이 칼을 들며 자신을 향해 몸을 돌리는 사내의 모습에 미간을 찌푸렸다.

여유롭다.

일반적인 반응이 아니다.

그리고.

'눈빛이…….'

흥분이 단 한 점도 없다.

아니.

"귀찮게시리."

오싹!

종혁은 확신했다.

이 사건, 절대 우발적인 살인이 아니다.

'이 자식 뭐지?'

"괜히 여길 들어온 네 불운을 탓해라."

사내는 종혁을 향해 저벅저벅 다가왔다.

그렇게 3미터 앞까지 다가온 사내는 땅을 박차며 종혁의 배를 향해 칼을 찔러 넣었다.

그 모습에 상념을 지운 종혁은 느려진 시간 속에서 피식 웃었다.

'하, 새끼!'

뭔가 있어 보였는데, 칼질이 어설프다.

초보처럼 양손으로 꼭 쥐며 달려든다.

허세. 지금까지 허세였다는 거다.

피식 웃으며 칼을 피하려 몸을 틀던 종혁은 헛숨을 삼켰다.

"흡?!"

쉭!

종혁은 다급히 물러섰다.

그리고 그 자리를 꿰뚫는 칼날과 그걸 잡은 한 손.

배를 찌르려던 칼이 뱀처럼 휘더니 목으로 찔러 왔다.

국정원이나 특수부대 출신의 조폭, 살인 청부업자에게서나 볼 수 있는 전문적인 칼잡이의 냄새.

"칫."

물러선 종혁은 반사적으로 자세를 낮췄다.

공격이 빗나갔는데도 당황하지 않는다.

'이 새끼?!'

오싹!

다시 소름이 돋았다.

종혁은 이를 드러냈다.

"……야, 너 뭐냐?"

종혁은 긴장을 끌어올렸다.

* * *

"쯧."

일이 귀찮게 됐다.

삼십대 초반의 사내는 멀뚱멀뚱 쳐다보는 김상민을 일견하고 종혁에게 신경을 집중했다.

'반사 신경이 좋군.'

그간 필승의 살해 공식이 깨졌다.

배를 찌르는 척하다 목을 노리면 백이면 백 피하지 못하고 목이 꿰뚫렸는데, 종혁은 너무 쉽게 피했다.

'게다가.'

왜인지 칼에 대한 두려움이 없다. 어린데도.

이를 사납게 드러냈지만, 그 눈은 이쪽의 전신을 살핀다.

어려 보이지만 쉬운 상대가 아니다.

반복된 살인에 무뎌졌던 그의 감정이 깨어났다.

"혼자 오는 게 아니었어."

고작 7살 꼬마를 죽이면 되는 일이라 별생각 없이 혼자 나섰는데, 그러질 말았어야 했다.

움찔!

사내는 왜인지 갑자기 동요하는 종혁을 보며 칼을 늘어트렸다.

“모르는 아이를 위해서 죽을 생각인가.”
“좆 까. 지금 간다면 보내 줄 거냐?”
그럴 리가.
종혁은 침묵하는 사내를 보며 피식 웃는다.
“칼 내려놔. 그러다 병신 된다.”
대답 대신 뚜둑, 뚜둑 목을 좌우로 꺾은 사내는 다시 달려들며 칼을 내질렀다.
쇡!
종혁의 가슴을 노리던 칼날이 도중에 꺾이며 배를 노린다.
종혁은 물러서고 사내는 더 달라붙으며 옆구리를 연속으로 찍는다.
그 순간.
퍽!
두꺼운 팔뚝에 막히는 사내의 손목.
마치 기둥을 미는 것처럼 칼이 전진하지 못한다. 그러더니 종혁의 손바닥이 뱀처럼 뒤집혀 사내의 손목을 잡는다.
‘유도?’
왜 피했는지 알 것 같았다.
우득!
손목이 비명을 질렀다.
하지만.
‘걸렸어!’
허리 뒤춤으로 손을 돌린 사내는 걸리는 걸 그대로 뽑

으며 종혁의 경동맥을 노렸다.

이것까지 피한 사람은 조직 내에서도 드물다.

'됐…….'

터억! 콰드득!

허공에서 붙잡힌 손이 비명을 지른다.

"큭?!"

"야, 내가 병신 된 댔지."

경박한 말투와 달리 감정이 단 한 점도 담기지 않은 눈동자.

오싹!

이번엔 사내의 전신에 소름이 돋았다.

그리고 종혁의 이마가 사내의 눈을 찍었다.

쩌억!

"큭!"

사내는 정신을 차리지 못했다.

마치 눈이 함몰되는 것 같은 고통.

하지만 이게 끝이 아니었다.

"칼 놔라."

쩍!

이마가 코를 찍는다.

"놓으라고 했다."

쩌억!

다시 찍는다.

"놔, 이 새끼야."

쩌어억!

광대를 부숴 버릴 듯 찍는다.

그럼에도 눈빛이 죽지 않는다.

"그래. 뒈져라."

타닥.

종혁은 칼을 잡은 사내의 양팔을 겨드랑이에 끼며 감았다.

그리고 망설임 없이 위로 들어 올렸다.

섬뜩!

사내는 다급히 땅을 박차며 양발로 종혁의 가슴을 찼다.

쿠당탕!

겨우 풀려났지만, 바닥을 뒹군 사내는 종혁을 찾았다.

그런 그가 본 건 자신의 목을 향해 달려오는 발등이었다.

사내는 그 궤적에 칼끝을 가져갔다.

이대로면 종혁의 발등이 칼에 꿰뚫린다.

하지만.

빠악!

"꺽!"

가슴뼈가 부러진 것 같은 고통.

도중에 궤도를 바꾼 발끝이 명치를 후려쳤다.

정신이 아득해졌지만, 사내는 데굴데굴 구르며 물러섰다.

그러다 다급히 몸을 일으킨 사내는 본능적으로 상민을 찾았다.

어렵다.

힘들다.

이렇게 된 이상 임무라도 완성해야 했다.

그러나 상민은 어느새 종혁의 뒤에 있었다.

아니, 어느새 자리가 뒤바뀌었다.

종혁은 당황하는 그에게 천천히 다가가며 입술을 뒤틀었다.

'내가 씨발, 그동안 먹은 칼밥이 얼만데.'

제 몸뚱이부터 들이미는 뽕쟁이의 칼질.

죽여야 우리가 산다는 조폭, 밀수꾼들의 칼질.

북파 공작원 출신 살인 청부업자의 칼질.

묻지마 살인, 연쇄살인, 등.

순경에서 시작해 경정까지 진급한 데에는 이유가 있다.

"지금부터 형법 21조 1항 정당방위 성립을 위해 흉기 투기를 경고합니다. 칼 버려!"

원래는 경찰관 직무집행법의 투기 명령.

'버리지 마라.'

들어야 할 말이 있다.

"칼 버려!"

'제발 버리지 마라.'

왜 김상민을 죽이려 한 건지.

혼자 오는 게 아니었다는 말이 뭔지.

패거리가 있는 건지.

설마 그 조직인 건지.

들어야 했다. 그러기 위해선 일단 병신으로 만들 필요가 있었다.

"마지막이다."

'진짜 제발 버리지 마라.'

순경 시절 배에 칼을 맞아 위를 3분의 2나 들어낸 이후, 종혁은 칼 든 놈들을 증오했다. 십대라도 칼을 들었다면 팔을 꺾어 버리길 주저하지 않았고 악질이면 불구로 만들었다.

그래서 저승사자라 불렸다.

"칼 버려!"

"……."

끝이다.

"이제부터 정당방위 성립이다, 개새끼야."

'그래, 죽자.'

눈을 뒤집은 종혁이 성큼성큼 다가갔다.

까득!

방금까지와 다른 기세다.

정말 죽여 버리겠다는 살의.

'칼은…… 쓸 수 없나?'

양팔의 팔꿈치에 고통이 있다. 빨리 벗어난다 했는데 뼈에 금이 가고, 인대가 약간 늘어난 것 같다.

꾼이다. 그것도 같은 부류이다.

필요에 의해서라면 사람을 망가트리는 데 주저하지 않는 동류.

'조금 더 침착해야 했다.'

피가 나도록 이를 악문 사내는 종혁을 향해 칼을 던졌다.

뿌드득.

팔꿈치가 격한 소리를 냈지만, 그는 참아 냈다.

덕분에 칼은 시위를 떠난 화살처럼 빠르게 허공을 가로질러 종혁의 심장으로 향했다.

그러나.

'느려.'

느려진 시간 속 종혁은 몸을 비틀며 파리를 쫓듯 칼을 후려쳤다.

퍼억! 탱그랑!

"이렇게 느려서 되겠어? 또 던져……!"

코웃음치며 사내를 본 종혁은 눈을 부릅떴다.

어느새 몸을 돌린 사내가 공사장 입구를 향해 달리고 있다.

"이 새끼가!"

다급히 몸을 날리던 그 순간이었다.

퍼억!

'어?'

공사장 입구를 벗어나던 사내가 무언가에 얻어맞고 바닥을 구른다. 그리고 공사장 입구 안으로 검은 양복을 입은 덩치 큰 동양인들이 들어온다.

아니, 동양인처럼 생긴 서양인이다.

'이 새끼들은 또 뭐야?'

의아해하던 종혁은 주춤했다. 사내들이 품에서 무언가를 꺼내더니 바닥의 사내를 향해 겨눴기 때문이다.

"초, 총?!"
철컥!
코앞에 드리워진 총구에 사내도 파랗게 질렸다.
공사장에 싸늘한 침묵이 내려앉을 때, 구두 소리가 울렸다.
또각! 또각!
사내들 발치 뒤에서 모습을 드러낸 새빨간 구두.
"останавливаться(멈춰)!"
'러시아어?'
게다가 익숙한 목소리다.
종혁은 사내들이 연 길 위를 걸어오는 붉은 구두의 주인을 보고 눈을 동그랗게 떴다.
"나…… 탈리아?"
"내 등장이 너무 극적이었나요, 나의 친구 최?"
종혁은 환하게 웃는 그녀를 멍하니 바라봤다.

* * *

'러시아 정보부?'
토가레프와 푸줏간 정육업자 같은 무심한 눈빛.
KGB다.
어떻게 돌아가는 상황인지 알 수 없다.
이대로 잡힐 수는 없다. 조직의 꼬리가 드러나서는 결코 안 됐다.

'……강녕하십시오, 어르신!'

사내는 재빨리 반지의 보석을 뽑아 삼켰다.

"останавливаться(멈춰)!"

까득.

캡슐이 깨지며 손가락 한마디 크기의 끈적한 물이 목구멍을 타고 넘어갔다.

* * *

"나탈리아가 여길 어떻게……."

"Проклятие(빌어먹을)!"

약 반년 만의 해우를 방해하는 다급한 외침.

멍하니 고개를 돌린 종혁은 눈을 부릅떴다.

눈이 뒤집어진 사내의 몸이 펄떡펄떡 뛰고 있다.

'독!'

"무슨!"

다급히 달려간 종혁은 그의 몸을 붙잡으며 흔들었다.

"혼자 오는 게 아니란 건 무슨 말이야?! 패거리가 있는 거냐?! 조직이야?!"

그 조직인지 묻고 싶다.

그러나 나탈리아가 보고 있다.

종혁은 애가 탔다.

"말 좀 해 보라고, 새끼야! 저 어린것을 왜 죽이려고 한 건데?!"

종혁은 그렇게 몸을 흔들며 그에게 얼굴을 가져갔다.
마치 대답을 들으려는 듯 가까이.
그리고 작게 속삭였다.
"너희 김성령 의원 죽인 놈들 맞지?"
"……!"
차갑게 노려보는 종혁의 시선.
눈을 부릅뜬 사내는 몸을 퍼덕였다.
'무, 무슨!'
들켰다. 조직을 알고 있다.
사내는 몸을 뒤틀었다.
'이, 이걸 회사에 알려야!'
하지만.
"끄륵!"
마지막 숨이 넘어갔다.
턱!
종혁의 어깨에 손을 얹은 나탈리아는 고개를 저었고, 종혁은 차갑게 식어 가는 사내를 보며 입술을 깨물었다.

* * *

부우웅!
사내의 시체를 태운 봉고차가 멀어진다.
'정말 그 조직이었다니.'
설마 했는데…….

이 대한민국에서 어린아이를 죽일 만큼 잔인한 놈들이 또 있나 해서 한 번 떠봤다.

그런데 정말이었다.

종혁은 사내의 커다란 반지를 매만졌다.

반지 안쪽에 어떤 문양이 새겨져 있다.

회귀 전 봤던 문신과 똑같이 생겼다.

이로써 그 조직의 일원은 몸에 같은 문신을 새긴다는 걸 70퍼센트쯤 확신할 수 있게 됐다.

그래서 이런 결정을 한 거다.

"빌어먹을. 형사가 시체 유기를 다 하네."

증거인멸도 안 해 봤는데, 시체 유기를 하고 말았다.

한때 경찰로서 자괴감이 들었다.

원래라면 경찰에 인계해야 됐을 일이다.

그래서 경찰이 그 조직을 쫓게 만들어야 했다.

하지만 사내는 잡힐 것 같자 자살을 했다.

일이 복잡해지는 걸 떠나 종혁 본인이 드러날 위험이 컸다.

폐차장에서 김 의원 사태 때 쓰인 것으로 추정되는 흰색 엘란트망을 발견했던 것과는 차원이 다른 일.

'아직은 때가 아니야. 그리고…….'

종혁은 반지 안쪽의 문양을 봤다.

'안녕하십니까, 이 새끼들아.'

이젠 회귀 전 종혁을 죽인 그놈이 아니라, 그 조직을 쫓을 단서가 생겼다.

몸이 후끈 달아올랐다.

또각또각!

다가온 나탈리아가 종혁에게 초소형 카메라와 녹음 장치를 내밀었다.

"반경 30미터 안으로 CCTV가 없더군요. 목격자도, 감시자도."

몸에서 나온 것도 없다.

'그렇겠지.'

회귀 전에도 사내의 모습을 잡은 CCTV는 없었다.

모두 목격자의 진술뿐이었다.

회귀 전엔 단순한 우연인 줄로만 알았는데, 철저히 계획된 범죄이다.

'왜?'

의문이 떠오르자마자 바로 답이 도출된다.

이건 경고다.

'상민이의 부모를 향한 경고!'

종혁은 고개가 번쩍 들렸다.

'아니, 잠깐!'

자식이 처참하게 죽었다.

일반적인 부모라면, 이 내막을 알고 있다면, 반발을 했어야 맞다. 그런데 회귀 전 이에 대한 이야기를 단 한 번도 듣지 못했다.

종혁이 조사를 했을 때도 이 '대전 어린이 사건'은 어떤 미친 사이코패스에 의한 살인으로만 생각했을 뿐이다.

'자세한 내막은 그 부모를 만나 봐야 알 수 있겠군.'
이쪽의 정체가 드러나지 않게, 아주 조심히 만나야 했다.
지금쯤 상민과 해우했을 상민의 부모를 떠올린 종혁은 나탈리아를 봤다.
"어떻게 된 겁니까?"
그녀는 KGB다.
러시아 해외정보국 SVR 소속인지 연방보안국 FSB인지는 잘 모르겠지만 아무튼 러시아 정보국 요원이다.
그런 그녀가 여기 왜 있는지 이해가 되지 않았다.
"반년 만에 만나서 그런 재미없는 걸 물을 건가요?"
"끙. 나탈리아."
미녀가 고혹적으로 웃으니 난감했다.
"후훗. 농담이에요. 제가 이렇게 직접 온 건 우리 러시아가 그만큼 당신을 높이 평가하기 때문이에요, 최."
그녀는 그러며 명함 하나를 내밀었다.
주한 러시아 대사관 2급 서기관 안젤리나 마카로프.
종혁은 화들짝 놀랐다.
'러시아가 날 보호하기로 했다고?'
"……가시적인 결과가 나왔군요. 닷컴 버블이건 SPA건."
나탈리아의 입가에 미소가 번졌다.
'역시 탐이 나.'
혼란스러워도 금세 냉정하게 상황을 파악한다.
거기다 오늘 일.
그녀는 종혁이 칼 두 자루를 든 킬러를 때려눕히는 걸

보곤 기함했고, 사정없이 팔을 부러트리려 했던 독심에 경악했다.

차분히 정당방위에 대한 법령을 읊는 냉정함과, '이제부터 정당방위 성립이다, 개새끼야.'라고 외치던 사나운 야성.

눈치가 빠르고, 머리가 좋으며, 성격이 대범하다고 해도 이런 면모는 보일 수 없다.

사람을 정말 죽이려 한다는 건 전혀 다른 차원의 이야기였다.

거기다 눈앞에서 사람이 죽었는데도 얼음처럼 냉정하다.

마치 시체를 수없이 봐 온 사람처럼.

'까면 깔수록 새로운 게 나오네요, 최.'

"어떻게 된 일인가요?"

나탈리아의 눈매가 날카로워진다.

반지에 보석처럼 박힌 독 캡슐.

정보부 요원, 스파이의 방식이다.

그것도 국가에 충성심이 짙은 요원들만이 적에게 사로잡혔을 때 행하는 자살 방법.

거기다 종혁을 향해 휘두르던 칼질도 간결하고 독했다.

"음."

'역시 관심을 드러낼 수밖에 없나?'

사람이 눈앞에서 자살했다.

그것도 평범한 사람이 아닌 킬러가.

누구라도 관심을 가질 수밖에 없다.

"저도 알고 싶습니다. 그자가 누군지, 그들이 누군지."

종혁은 고개를 숙이며 이를 악물었다.

"그들?"

"아까 말한 것처럼 그자는 혼자 오는 게 아니라고 했습니다. 다른 패거리가 있단 소리겠죠. 뭐, 대충 짐작 가는 게 있긴 하지만……."

나탈리아의 눈이 호기심으로 타오르자 종혁은 입을 다물었다.

여기까지다.

여기서 김 의원 일을 흘리는 건 하수나 할 짓이다.

나탈리아를 움직이려면, 그녀가 직접 알아보게 만들어야 한다.

"그보다 결과를 듣고 싶은데요."

너무하다며 눈을 흘긴 그녀가 고혹적으로 웃었다.

"제가 온 걸로 대답이 되지 않았나요? ……그래도 명확한 게 좋겠죠. 앞으로의 관계를 지속하려면."

그녀는 품에서 꺼낸 수첩에 숫자와 글자를 적어 내밀었다.

투자 전 시뮬레이션 결과 값까지.

"……호오."

SPA 예상 매출이 놀랍다.

솔직히 종혁이 상상한 그 이상이다.

'빅토르가 잘하고 있나 본데?'

연락해 봐야겠다는 생각이 불쑥 치솟는다.

하지만 그보다 놀라운 건 닷컴 버블의 피해 규모이다.

'내가 말한 그대로다?'

말이 안 된다. 국가 단위의 지성체들이 움직였을 게 분명한데도 숫자의 변동이 없다.

나탈리아를 본 종혁은 깨달았다.

그녀의 입가에 맺힌 의뭉스러운 미소.

'……속아 주는 거군.'

당장의 이득보다 종혁과의 관계를 유지하려고 한 거다.

한 사람을 믿고 수백조 원의 돈을 포기한 거다.

더 많은 돈을 벌어다 줄 것을 소망하며.

"거참. 내가 뭐라고."

그 생각과 배려가 가슴을 파고든다.

방금 전 일로 뒤숭숭해진 마음이 진정된다.

종혁은 숫자 몇 개에 줄을 그은 뒤 그 밑에 다른 숫자를 적었다.

허리 뒤로 돌린 그녀의 주먹이 꾹 쥐였다.

티를 내진 않았지만, 그녀는 경악했다.

'이 정도라고?!'

러시아 지성체 집단이 낸 결론보다 30퍼센트는 더 많은 액수.

종혁은 메모지를 그녀에게 내밀었다.

"이걸 바탕으로 얼마를 벌건 상관없지만, 그보단 미국이란 나라에 빚을 만들어 주는 것도 나쁘진 않을 겁니다."

……꾹!

그녀는 다시 주먹을 쥐었다.

영원한 라이벌, 미국.

적당히 이득을 취한 후 '우리가 봐준 거 알지?'라고 종혁이 보여 준 숫자를 내민다?

짜릿한 전율이 그녀의 혈관 전체를 타고 흘렀다.

종혁은 들뜬 그녀의 얼굴을 보며 침을 삼켰다.

'엄마가 이해해 주려나?'

스물 몇 살 차이. 이게 이루어질 수 없는 사랑인가 싶었다.

'아, 엄마.'

종혁의 눈빛이 삽시간에 가라앉았다.

'그렇지 않아도 내가 경찰이든 검사든 되기 전에 경호원을 구하려고 했는데 잘됐군.'

신중하게 고르고 고르려고 했다.

권&박 홀딩스를 지키는 보안 업체에 대해서도 은밀히 조사하고, 회귀 전의 기억도 뒤지며 적합자를 고르고 있었다.

무엇보다 중요한 게 어머니 고정숙의 안전이었으니까.

이번에도 회귀 전처럼 종혁 본인의 일에 휘말려 죽게 놔둘 순 없었다.

그런 후에 마음 놓고 뒤를 쫓으려 했는데, 벌써 그 조직과 두 번이나 얽혔다.

더 이상 지체한다면 불안해서 견딜 수 없을 것 같았다.

'목격자와 CCTV가 없다지만, 혹시 몰라.'

정체가 드러났을 경우도 대비해야 된다.

그런데 마침 그런 쪽으로 빠삭한 여자가 눈앞에 있다.
그것도 뭐든 퍼 주려는 얼굴을 한 채.
'KGB.'
"정말 당신은! 지금도 바라는 게 없나요, 최?"
"있습니다."
나탈리아는 활짝 웃었다.
"뭔가요? 전에 한 제안은 아직도 유효하답니다!"
"경호원. 은밀히 어머니를 밀착 경호해 줄 사람이 필요합니다. 그 어떤 위험에서도 어머니를 지켜 줄 사람이. 한국어가 능통한 고려계로."
종혁은 나탈리아와 함께 나타난 고려계 요원들을 가리켰다.
"그리고……."
이어지는 말에 나탈리아의 눈이 동그래졌다.

* * *

우글우글!
"D 프로젝트 건 어떻게 됐어?!"
"지금 갑니다!"
와이셔츠를 입은 십여 명의 사람들이 바쁘게 움직이는 공간.
누가 봐도 작은 회사의 사무실 풍경이다.
그런데 한 구석의 개인 사무실의 분위기는 달랐다.

컴퓨터 앞에 앉은 사십대 중년인이 책상을 검지로 두드린다.

"박 대리가 늦는군."

이곳 대전 지부 내에서도 일 처리가 수준급인 박 대리.

혼자 다니는 걸 좋아하는 게 단점이지만, 이번 일은 사람이 많이 필요한 게 아니라서 그냥 맡겼다. 그런데 작전 종료 시간보다 30분이 더 지났는데도 연락이 안 온다.

"흠."

띠리링! 띠리링!

내선 전화다.

"어. 무슨 일이야."

—김 사장 아들이 방금 전 집에 들어갔다고 합니다.

"쯧."

어찌 된 영문인지 모르지만, 작전이 실패했다.

머릿속이 엉클어졌지만, 중년인은 입을 열었다.

"박 대리한테 연락해 봐."

약간의 시간이 지난 후 답이 들려왔다.

—받지 않습니다.

"모두 다?"

출장을 나간 직원은 일이 어그러질 때를 대비해 현장 주변과 퇴로에 연락 방법을 숨겨 두는 게 원칙이다.

회사에서도 복귀 시간이 지나면 그쪽으로만 연락한다.

—예.

불길함이 커진다.

"……경찰 쪽에 알아봐."

–알아보겠습니다.

잠시 후 다시 내선 전화가 걸려왔다.

–경찰 쪽에선 아무런 움직임이 없습니다. 검찰도 마찬가집니다.

"시체도?"

중년인은 혹시나 하며 물었다.

–신원 미상의 시체가 접수된 적도 없답니다.

중년인의 표정이 더 복잡해졌다.

'그렇다면 박 대리가 아직 살아 있다는 건데…….'

하지만 살아 있는데도 이 시간까지 연락을 안 할 리가 없다.

그분을 향한 충성심이 깊은 박 대리기에 더욱 말이 안 된다.

"대체 뭐가 어떻게 돌아가고 있는 거야?"

–현장에 지원부 파견할까요?

"어, 당연……."

흠칫!

말을 하려던 중년인은 입을 다물었다.

갑자기 그의 촉이 맹렬하게 울리고 있다.

'이거 누가 개입한 거 아냐?'

누군가 박 대리가 김 사장의 아들을 죽이려는 순간을 목격했고, 그것도 모자라 박 대리를 제압했다.

현재 추론할 수 있는 경우의 수 중 가장 높은 수다.

'……설마 죽은 건가? 아니, 죽었을 확률이 높다!'

애초부터 이 작전은 누군가를 죽이고 싶어 하는 어떤 미친놈이 어린아이를 타깃 삼아 처참하게 죽인 사건으로 설계되어 있다.

만에 하나 일이 어긋나 제압되고 경찰에 넘겨져도 박 대리는 본인이 한 일이라고 딱 잡아뗄 터였다.

하지만 경찰에 잡힌 게 아니다.

그랬다면 벌써 연락이 와야 한다.

즉, 박 대리는 경찰이 아닌 누군가 때문에 조직이 들통날 것 같아서 죽음을 택했을 확률이 높다.

아니면 구금되어 있든지.

'설마 안기부?'

"음."

여태껏 조직이 드러난 적이 없기에 망설임이 생긴다.

하지만 안기부, 아니, 국정원 정도가 아니면 박 대리가 이렇게까지 연락을 안 할 리가 없다.

잡혔든지 죽었든지.

둘 중 하나다.

'어디서 어떻게'란 의문은 나중으로 미뤄 뒀다.

'만약 정말로 안기부에서 우리 조직의 냄새를 맡은 거라면…….'

중년인은 고개를 번쩍 들었다.

'현장을 감시하고 있을 확률이 높다!'

그렇다면 선택할 수 있는 건 한 가지다.

—김 사장 집에 영업 사원 보낼까요?

"아니!"

'이 미친놈이! 김 사장 집도 감시하고 있을 게 뻔한데, 뭐?'

속으로 욕을 뱉으며 일어난 중년인은 다급히 외투를 걸쳤다.

"지금부터 대전 지부를 폐쇄한다."

'박 대리의 충성심을 믿지만…….'

이게 답이다.

'쯧. 김 사장을 잡아야 했는데.'

조직의 돈을 가지고 잠적한 김 사장.

찾을 수가 없어서 이렇게 번거로운 방법을 쓴 거다.

'운이 좋군.'

얼마 전 인천 지부가 작업한 일처럼 조직의 돈을 훔치고도 살아 있는 놈은 한 명도 없는데, 예외가 생겼다.

'쯧. 인천 지부가 일 처리를 요란하게만 안 했어도.'

그랬다면 이번 작업에서는 김 사장의 일가족 모두를 죽여 끌어냈을 거다.

하지만 두 일이 서로 연관되어 있기에 그렇게 했다간 경찰이 냄새를 맡을 수 있어서 자식만 죽이려는 선에서 그친 거다.

"한 시간 주겠어."

—……예!

"김 사장 집 감시조 복귀시키고, 검경에 디지털 포렌식이라는 복구 프로그램이 생겼다고 하니까 본체도 챙겨.

그리고…….”

중년인의 눈빛이 차가워졌다.

‘이번 작전을 방해한 게 정말 안기부라면, 작전 내용이 새어 나간 거다.’

즉, 대전 지부에 배신자가 있을 확률이 높다.

그렇지 않다면 방해받을 리가 없었다.

설계부터 실행까지 대전 지부에서 도맡아 했기 때문이다.

결과만 보고받으면 되는 상부가 이번 작전의 개요를 알 리가 없다.

지금 보고를 하는 직원도 의심스러웠다.

“지부 인원 전부 강원도 수련원으로 간다.”

—예!

바깥에서 울리던 전화벨 소리가 멎으며 모두 바쁘게 움직이기 시작했다.

책상 아래 금고에서 문서들을 꺼내고, 책상 위 노트북도 챙긴 그는 혀를 찼다.

“얼마 전 서울에서도 들킬 뻔했다고 했지.”

몇 달 전, 조직 내에서도 일 처리가 최상위권인 이가 작업을 할 때 썼던 차량이 발견되어 사건이 대검으로 넘어갔다. 지문이나 DNA가 발견되지 않아서 다행이었지, 아니었다면 꽤 골치 아플 뻔했다.

당시 그 직원은 하마터면 퇴사를 당할 뻔했고, 지방에서 일하는 조직원들을 은근히 무시하던 놈이라 중년인은 직접 전화해 꼴좋다며 비웃어 주었다.

'발견자가 일반인이라서 더 크게 비웃어 줬지.'

"유도 국가대표랬던가?"

한국을 떠들썩하게 만든 탈옥수 한상원을 제보한 청년이라 서울지방검찰청에 인턴으로 발탁됐는데, 김 의원이란 자에게로 향하는 장부는 직접 발견했고, 차량이 발견된 장소에도 있었다고 했다.

조직에서는 우연에 우연이 겹쳐서 그렇게 된 거라고 결론 냈지만, 그래도 놀릴 거리라 힘차게 놀려 주었다.

그런데 그 꼴을 본인이 당하게 생겼다.

치욕스러웠다.

하지만 이건 차라리 낫다.

"제발 안기부가 아니길 바라야겠군."

그래야 퇴사를 당하지 않을 테니 말이다.

그는 입술을 깨물며 사무실을 나섰다.

* * *

웅성웅성!

11시가 다 되어 가는 늦은 저녁임에도 제법 사람들이 오고가는 김포공항의 주차장.

차와 차 사이에 숨어 초조하게 담배를 피우던 삼십대 사내가 환하게 웃는다.

"아빠!"

"상민아!"

다급히 달려가 아이를 안아 든 사내는 어디 다친 곳은 없는지 상민을 이리저리 살폈다. 그런 다음에야 잠든 딸을 안고 있는 아내에게 시선이 갔다.

"많이 놀랐지, 여보? 미안해."

그 말이 방아쇠가 된 듯 아내의 입에서 화가 튀어나온다.

"대체 어떻게 된 일이에요?! 무슨 짓을 했기에……."

상민이 죽을 뻔하고, 야반도주하듯 비밀리에 여기까지 와야 했나.

그녀는 상민이 옆에 있기에 눈으로 말했다.

"나도 몰라! 난 그냥 내 돈만 들고 나왔을 뿐이야!"

그는 중국에서 옥팔찌를 수입해 팔던 사람이다.

중국산이라 해도 최고급 옥이라 수요층이 있었고, 매출도 제법 나왔다. 그런데 어느 순간, 동업자가 제대로 팔아 볼 생각 없냐고 유혹하기 시작했다.

말하는 걸 들어 보니 다단계였다.

당연히 거부했다.

그런데 작년 12월부터 중국산 최고급 옥이 싸구려 옥으로 바뀌더니 게르마늄이란 이상한 이름으로 팔려 나가기 시작했다.

처음에 눈앞에 보이는 어마어마한 마진에 잠시 눈을 감았다.

그러다 결국 왠지 위험해 보이는 사람들이 직원들이 모두 퇴근한 늦은 저녁마다 거래처란 이름으로 회사를 드나들고, 사업 규모가 말도 안 되게 커지자 이건 아니다

싫어서 손을 털었다.

그러며 지분만큼의 돈을 요구했지만, 동업자는 거부했다.

그래서 지분만큼의 돈을 챙겨 나왔다.

그것뿐이다.

동업자가 포기할 때까지 잠시 몸을 숨기려 했을 뿐이다.

그렇게 몸을 숨긴 지 한 달이 지났을 무렵, 인천 어느 국도에서 끔찍한 살인 사건이 벌어졌다. 세간에는 일가족 엽기 도끼 살인 사건으로 알려진 사건이다.

동업자였다.

그리고 오늘 아들이 누군가에게 죽을 뻔했다.

"지금 그걸 말이라고!"

"엄마, 아빠. 싸워?"

흠칫 놀란 부부는 재빨리 고개를 저었다.

"아니야. 아빠가 엄마랑 왜 싸워. 우리 상민이 바다 좋아하지?"

"바다! 응! 응!"

"지금 그 바다에 가려는 거야. 우리 상민이가 타고 싶었던 비행기 타고."

"비행기! 우와! 진짜?!"

사내는 좋아하는 상민을 보며 이를 악물었다.

'내 돈인데!'

이건 협박이다.

가져간 돈을 내놓으라는 협박.

이럴 줄은 몰랐지만, 혹시 몰라 여권을 만들어 놓길 잘

했다고 생각한 그였다.

"안방 장롱 밑에 있던 통장은 TV 위에 두고 왔지?"

"맞아! 그 통장은 뭐예요? 무슨 돈이 그렇게 많은 거예요?"

지분만큼 가져온 돈이다.

등잔 아래가 가장 어둡다고 집에 숨겨 뒀다.

그러나 그걸 설명할 시간이 없다.

'어서 한국을 떠야 돼!'

"이야기는 비행기 타고 하자. 응?"

"……응. 알았어요."

그들은 걸음을 재촉했다.

그 순간.

"어딜 그렇게 가십니까, 김광철 사장님. 콜록콜록!"

차와 차 사이에 모자와 안경, 마스크를 낀 덩치 큰 사내가 서 있다.

덜컥!

김 사장, 김광철은 다리에 힘이 풀려 주저앉았다.

"제, 제발……."

"어? 아까 그 형이다. 슈슈슉!"

"슈슈…… 슉?"

덩치 큰 사내, 종혁은 자신을 멍하니 보는 김광철 부부와, 방금 전 김광철의 이상한 반응에 의아해하다가 아차 했다.

'어딜 그렇게 가냐니! 이상하게 들릴 수밖에 없잖아!'

습관적으로 도주하는 범인을 검거할 때 쓰던 멘트를 내뱉고 말았다.

입맛을 다신 종혁은 김광철 부인의 팔에 안겨 잠든, 다섯 살쯤 되어 보이는 꼬마를 응시했다.

'딸이 있었다니…….'

아들이 그렇게 끔찍이 살해당했는데도 말하지 않은 이유를 이젠 알 것 같다.

딸마저 살해를 당할까 무서웠던 거다.

그래서 입을 다문 거다.

그럴 확률이 80퍼센트 이상이었다.

"설마 당신이 우리 상민이를……."

"우연히 목격하게 돼서 다행이었습니다."

"아. 감사합니다. 정말 감사합니다!"

그의 부인마저 눈물을 뚝뚝 흘리며 고개를 숙였다.

"마음 같아선 크게 보답해 드려야 하는데 지금은 좀 바빠서……."

마음이 급한 김광철은 종혁이 어떻게 여길 나타날 수 있었는지는 생각도 못 하고 있었다.

종혁은 초조해하는 그들의 모습에 눈빛을 가라앉혔다.

"그자들 누굽니까?"

움찔!

"아시죠?"

"나, 난 몰라요! 모릅니다! 가자!"

종혁은 이를 악물었다.

"아드님을 죽이려 했던 놈이 상황이 여의치 않자 음독 자살을 했습니다. 정말 위험한 놈들입니다."

"여, 여보?"

충격을 받은 부인의 얼굴에, 김광철의 표정이 일그러졌다.

"몰라! 모른다고! 그냥 얼굴과 이름만 아는 나한테 왜 이러는데-!"

'얼굴하고 이름!'

종혁의 눈에 불똥이 튀었다.

"사장님, 정말 부탁드립니다. 다른 피해자를 만들지 않기 위해선 사장님의 말 한마디가 절실히 필요합니다."

종혁은 윽박지르기보다는 인정에 호소했다.

"하! 당신이 뭔데?! 경찰이야?"

김광철은 말해 놓고도 아닐 거라 단정했다.

경찰이 나선 것이라면 자신은 지금쯤 대전경찰서에 있어야 했을 테니 말이다.

종혁은 속으로 혀를 찼다.

'하, 진짜 뭐든 얼른 돼야지, 원.'

이럴 때 당당하게 경찰이나 검사라고 말할 수 있으면 얼마나 좋을까.

종혁은 품에 손을 넣었다.

결국 마지막 수단을 쓰게 됐다.

"예, 경찰입니다."

덜컥!

김광철의 몸이 굳었다.

"어떻게 이런 우연이……."

종혁이 경찰 공무원증을 내밀자 김광철은 모든 걸 포기했다.

그런 모습에 종혁은 가슴을 쓸어내렸다.

'다행히 들키지 않았네.'

종혁이 내민 건 명예 경찰로 임명되며 받은 명예 경찰 공무원증이다. 아래 떡하니 명예 경찰이라 적혀 있기에 들키고 만다.

'주위가 어두워서 다행이야.'

명예란 글자를 가리기도 했다.

"저도 얼마나 놀랐는지 모릅니다. 콜록! 콜록! 아, 죄송합니다. 감기가 독하게 와서."

아니다. 혹시 모를 상황에 얼굴을 드러내지 않기 위해 위장을 했는데, 마스크를 썼기에 감기 걸린 척을 하는 거다.

고개를 끄덕인 김광철이 한숨을 무겁게 내뱉었다.

"후. 제가 아는 건 정말 얼마 없습니다."

"범인들 몽타주만 그려 주셔도 충분합니다."

어차피 이름은 가짜일 게 뻔했다.

'문제는 몽타주를 그려 줄 사람인데…….'

낭패다.

이럴 줄 알았다면 미리 수배를 해 둘 걸 그랬다.

지이잉! 지이잉!

"예, 여보세요."

–제 도움이 필요하지 않나요, 최?

종혁은 입꼬리가 흔들렸다.

'그래. 여기까지 데려다줬는데, 도청을 하지 않을 리가 없지.'

김광철 아내를 미행해 준 게 나탈리아이다.

종혁은 그녀의 도움을 기꺼이 받아들이기로 했다.

* * *

"그, 그럼 전 이만."

"슈슈슉! 빠빠!"

김광철 부부와 자식들이 부리나케 멀어지자, 불 켜진 승합차의 보조석에 앉은 종혁은 몽타주를 뚫어질 듯 노려봤다.

그의 입가가 살벌하게 뒤틀렸다.

'만나서 반갑다, 새끼들아!'

이렇게 선명한 얼굴을 보는 건 처음이다.

어떤 사건이든 심부름꾼 같은 말단 조직원으로 위장했기에 CCTV건, 형사의 기억력이건 죄다 희미했던 그들.

김광철이 제대로 기억하는 건 고작 한 명이라서 나머지는 죄다 옆얼굴 정도지만, 충분했다. 드디어 제대로 된 꼬리를 잡았다.

종혁은 몽타주와 함께 쥔 명함을 보았다.

김광철이 그들의 것이라고 준 명함이다.

또각또각!

“난 왜 최가 그걸 신경 쓰는지 모르겠어요. 상관없는 일이잖아요?”

“결국 저 때문에 죽은 것과 다름이 없는데 상관없긴요. 아, 도움 감사합니다. 그것도.”

그녀와 함께 온 요원 중 한 명이 몽타주를 그려 줬고, 러시아 정보부가 그들의 도피를 돕기로 했다.

혹여 김광철을 찾을지도 모를 놈들을 낚아채기 위한 장치다.

빚을 졌다.

“최.”

나탈리아의 눈빛이 일그러진다.

자존심이 상한 맹수의 눈빛이다.

“우리 러시아는 결코 은혜를 잊지 않아요. 겨우 이 정도로 빚을 졌다고 생각하면 곤란해요.”

자부심이 가득한 그녀의 진지한 목소리가 가슴을 두드린다.

‘정말…… 반하겠네.’

말이 끝나자 상큼하게 웃는 미소도.

“그래서 조금 더 도움을 줄까 하는데, 괜찮나요?”

종혁은 그녀가 무얼 말하고자 하는지 알아차렸다.

“고맙습니다.”

싱긋 웃은 그녀는 종혁의 손에 들린 명함을 빼낸 후 대전에 남겨 두고 온 요원들에게 전화를 걸었다. 혹시나 사내가 자살한 그 폐공사장에 누군가 나타날까 두고 온 요원들.

“지금 불러 주는 주소를 감시해.”

지금 잡고자 하는 게 아니다.

킬러의 행적이 증발됨으로써 움직일 그들의 동태를 파악하려는 거다.

‘움직여라, 제발.’

그리고 늦지 않았기를 빌었다.

종혁의 손에 땀이 맺히기 시작했다.

“그럼 이동할까요? 그동안의 안부를 묻기에 이곳은 너무 삭막하네요.”

“하핫. 그러죠.”

둘은 승합차에 올랐다.

촤악!

나탈리아가 창문의 커튼을 쳤다.

“음?”

“담배는 환한 곳에서 피우는 게 좋으니까요.”

종혁은 의아했지만, 이내 그녀가 꺼내는 러시아 담배에 신경을 껐다. 붉은색 담뱃갑엔 ‘표토르’라 적혀 있었다.

그런데 특이하게도 껍질을 아래로 까 놓았는데, 종혁도 몇 번 본 적 있는 방식이다.

“러시아 군인들은 대부분 담배를 이렇게 까죠. 추운 날

낀 장갑에 묻은 오일이나 오물이 필터에 안 닿게. 냉전 시대엔 이 방법으로 러시아 스파이를 구분하기도 했어요.”

“그래요?”

‘그렇구나.’

밀수를 하는 러시아 선원들이 대부분 이런 방식으로 담배를 깠다.

착! 치익!

“음…….”

난생처음 피운 러시아 담배는 제법 독했다.

나탈리아의 담배에 불을 붙인 종혁은 커튼이 쳐진 창을 보았다.

그의 생각이 다시 그 조직에 집중되었다.

그렇게 얼마의 시간이 지났을까.

담배를 모두 피운 종혁이 입을 열었다.

“물어보질 않는군요.”

두 번째 담배를 즐기던 나탈리아가 온화하게 바라봤다.

“친구가 곤란해할 질문은 하지 않는 게 진짜 친구죠.”

그녀의 말이 한 번 더 종혁의 가슴을 두드린다.

정보부 요원까지 움직이게 했는데 묻지를 않는다.

종혁이 왜 그 조직을 쫓으려는 건지도.

고마웠다.

“그보다 제가 궁금한 건 당신이 앞으로 어떤 일을 할 건지예요.”

나탈리아는 그동안 수집한 종혁의 정보를 떠올렸다.

"정말 검사나 경찰이 될 건가요?"

'그렇구나.'

며칠만 지나면 6월이다.

수능이 반년도 채 남지 않았다.

이젠 정말 진지하게 고민할 때였다.

'검사와 경찰. 경찰과 검사. 그리고…….'

종혁은 나탈리아를 봤다가 고개를 저었다.

'정보국은 아냐.'

그녀의 의지인지 상부의 명령인지 모르지만, 태국에서 만난 나탈리아가 한국에 왔다. 아니, 그녀가 강력하게 의지를 표현했다고 하더라도 상부에서 허락하지 않으면 오지 못했을 거다.

이렇듯 철저한 상명하복으로 돌아가는 조직이 정보국이다.

종혁이 만난 국정원 요원들도 그랬다.

오직 상부의 지시만을 따르던 그들.

해외 파트와 국내 파트 요원이 따로 있음에도 상부에서 명령하면 손바닥 뒤집듯 파트가 바뀐다.

자유가 없다.

이게 가장 큰 디메리트다.

종혁은 회귀 후 있었던 일을 차분히 생각해 봤다.

오늘 있었던 일과 김광철의 협조까지.

그런 그의 머릿속으로 며칠 전 강철선과 나눈 대화가 스쳐 지나갔다.

'……그래. 이게 옳아. 내가 자유롭게 움직이려면 이게 최선이야.'

결정을 내린 종혁의 눈빛이 단단해졌다.

"난……."

"잠시만요. 최가 어떤 일을 하건 저와 러시아는 응원할 테지만, 다시 생각해 보는 게 어떤가요? 당신의 재능은 너무 아까워요. 차라리……."

띠리링! 띠리링!

나탈리아는 속으로 쌍욕을 퍼부으며 전화를 받았다.

그런 그녀의 눈동자가 흔들렸다.

"최."

"……튀었나 보군요."

나탈리아가 어이없다는 듯 실소를 터트렸다.

"주소가 40년 전통의 욕쟁이 할머니 곱창집이라네요."

"아?"

종혁은 눈을 껌뻑였다.

"40년 동안 주인이 단 한 번도 바뀌지 않은. 감시……할까요?"

'늦지 않기를 빌 게 아니라 그 주소가 맞는지부터 빌어야 했나.'

종혁은 얼굴을 쓸어내렸다.

종혁이 죽임을 당하기 직전까지도 그 존재가 알려지지 않은 조직이다. 대한민국에서 오직 종혁만 눈치챈 조직.

'이 정도로 조심성이 많을 거란 건 예상했어야 했어.'

실책이었다.

종혁은 잡았다 놓친 꼬리에 허탈해졌다.

하지만 이렇기에 방금 전 자신이 내린 결정에 더 확신이 든다.

'그래. 이 새끼들 잡으려면 이 길뿐이야.'

"다시 생각해 보는 게 어떠냐고 물었죠? 아니요. 나는……."

나탈리아는 이어지는 종혁의 말에 안타까움을 드러냈다.

* * *

맑고 화창한 3월의 어느 날.

수많은 사람들이 자식의 대학 입학을 축하하기 위해 입학식이 열리는 강당에 모였다.

와글와글. 웅성웅성.

그곳엔 종혁도 있었다.

"흑."

"에고, 왜 울어요."

종혁은 어머니 고정숙의 눈가에 고인 눈물을 훔쳤다.

"아니, 네 아빠가 이 모습을 봤으면 얼마나 좋아했을까 해서."

아버지.

기억이 나지 않지만, 귀에 담는 것만으로도 아릿한 단어.

"그놈이라면 발가벗고 동네방네 뛰어다니며 자랑했을 겁니다."

"저도 그래서 허락했어요."
"역시 제수씨!"
고정숙에게 엄지를 치켜든 김종두 반장이 종혁의 어깨를 두드린다.
"크! 난 네가 해낼 줄 알았다! 수석 입학 축하한다, 종혁아!"
"우리도!"
"종혁이 니 진짜…… 읍?!"
"쉿. 좋은 날입니데이, 아버지."
어느새 부쩍 자란 현석이가 뭔가 말하려는 강철선의 입을 막는다. 사람들은 그 모습을 보며 웃음을 터트렸다.
그런 그들에게 누군가 다가온다.
"최종혁 간부생도?"
"옛!"
"따라와요. 곧 입학식 시작해요."
고개를 끄덕인 종혁은 다녀오겠다 말하고 돌아서며 경찰모를 썼다.
그랬다.
종혁은 경찰이 되기로 했다.
범죄가 일어날 건 알고 있지만, 아직 일어나지 않은 사건을 어떻게 처리할 거냐는 주제를 놓고 나눈 대화.
강철선은 그때 이렇게 말했었다.
'일반적인 검사라면 아마 경찰에 협조를 요청할 거다.'
"그래. 결국 움직이는 건 경찰이야."

자유롭게 범인을 쫓는 것도 경찰이고, 언제나 범인을 잡는 것도 경찰이다.

현장은 경찰의 영역이다.

그렇기에 이번에도 경찰을 택했다.

다만 간부로 시작한다는 게 회귀전과 다를 뿐이다.

어느덧 차례가 되어 단상에 오른 종혁은 수백 명의 간부후보생들을 쓱 훑었다.

각을 잡고 부리부리하게 노려보는 동기들, 선배들.

그리고 그 뒤에서 손을 흔드는 가족과 지인들.

선서문을 펼친 종혁은 그들을 향해 손을 들었다.

"선서-!"

종혁의 외침이 강당을 쩌렁쩌렁 울린다.

"본인은 경찰 간부후보생으로서 법령을 준수하고 상사의 직무상 명령에 복종한다."

경찰 의무 선서.

다섯 조항을 모두 읊은 종혁은 거수경례를 하며 우렁차게 외쳤다.

"이상 제48기 수석 입학 간부후보생 최종혁! 충성-!"

"와아아아아아!"

박수와 함성 소리가 드높고 맑은 푸른 하늘을 향해 울려 퍼졌다.

5장. 뻐락지

뻐락지

구름이 달을 가리고, 가로등 불빛마저 꺼진 어두운 골목.

그림자만 어스름히 비추는 담벼락 위로 하나의 손이 내려앉고, 뒤이어 몸이 쑥 올라온다.

담벼락에 배를 걸친 사내는 주위를 휘휙 둘러보다 이내 가슴을 쓸어내린다. 그리고 안쪽을 향해 귀를 기울이다 씩 웃는다.

드디어 들어갈 시간이다.

사내는 상체를 젖히며 반동을 주었다.

그 순간.

"원숭아, 뭐 하니?"

깜짝!

어스름한 형태만으로도 덩치가 범상치 않은 사람이 어슬렁거리며 다가온다.

"씨발!"

기겁한 사내는 다급히 뛰어내리며 반대쪽을 향해 몸을 날렸다.

"헉! 헉!"

원숭이라 불린 사내는 달리고 달렸다.

하지만.

"원숭아, 어디 가니! 같이 가자!"

"거기 서 봐! 형이 맛있는 거 사 줄게!"

한밤의 추격전이 동네 사람들을 깨우고, 결국 사내는 막다른 길에 다다른다.

족히 3미터는 될 법한 담벼락.

"……하아. 닝기미 진짜."

서글픈 눈으로 꺼끌꺼끌한 붉은 벽돌을 쓸어내린 사내는 몸을 돌려 억울함을 토해 낸다.

"진짜 나한테 왜 이러는데! 왜 나만 쫓는데-!"

"그야 네가 살인을 저지를 놈이니까 그렇지."

울컥!

지난 1년 동안 벌써 세 번째 듣는 말이다.

"안 한다고! 안 죽인다고! 나 사람 죽이는 그런 놈 아니라고-!"

"응, 아냐. 빈집인 줄 알고 들어갔다가 사람 찌르고. 너 그럴 놈이야."

"있는지 없는지 철저하게 조사하고 턴다, 이 개새끼야-!"

"그래. 나도 다 알아. 근데 원숭이도 나무에서 떨어지더라?"

실제로 그런다.

주거침입 및 절도 전과 5범 박상철.

빈집털이범, 일명 원숭이.

빈집만 골라 터는 데 도가 튼 박상철은 그때도 평소처럼 빈집을 털러 들어갔다가, 무슨 일인지 없어야 할 집주인과 마주친다.

그에 당황해 집주인을 살해한 후 도주한다.

이후 두 건의 살인을 더 저지른 그는 경찰의 집요한 추격 끝에 검거된다.

이런 그는 회귀 전, 종혁의 위를 들어내게 만든 두 번째 원수였다.

"이 씨바라-! 짭새도 아닌 새끼가-!"

눈을 뒤집은 박상철은 품에서 칼을 꺼내 들었다.

"죽고 싶어-?!"

덩치 큰 사내, 종혁의 입이 사납게 찢어졌다.

"칼 버려라. 병신 된다. 전처럼 팔 하나로 안 끝나."

공기를 진동시키는 살의.

찔끔.

사타구니가 아릿해진 박상철의 두 눈이 폭풍처럼 흔들린다. 몇 달 전 잡혔을 때, 작업할 때 쓰던 드라이버를 꺼냈다가 팔이 분질러졌기 때문이다.

그 처절했던 고통을 떠올린 박상철은 결국 팔을 늘어트

렸다.

“진짜 나한테 왜 이러는데요…… 당신 경찰 아니잖아요…….”

“말했잖아. 너 살인 저지를 놈이라고. 너 내가 찍었거든? 어디 다음에 출소해서 또 담 넘어 봐. 또 나 만나게 될 거다.”

다리가 절로 풀리는 경고였다.

“아, 그리고 아직 경찰이 아닌 거지, 몇 년 후에도 경찰이 아닌 건 아니다? 그땐 경위야.”

“씨발.”

탱그랑.

칼을 던진 박상철은 바닥에 엎드려 양팔을 뒤로 젖혔다.

다가온 종혁은 그 양팔에 케이블 타이를 묶고는 최신형 폴더폰을 들었다.

—응. 종혁아. 무슨 일이야?

“상철이 잡았어요.”

—……어, 그러네. 원숭이 새끼 출소할 날짜 지났네. 어떻게 할래? 그쪽 관할서에 넘길래?

“한 달 만에 휴가 나온 건데 삼촌 봬야죠. 특수로 갈게요.”

전원 기숙사제인 경찰대학에서 1학년은 한 달에 한 번 1박 2일 주말 휴가를 신청할 수 있다.

2학년부터는 달에 두 번이다.

—왜? 한잔 꺾게?

“이제 법적으로 성인 아닙니까.”

—으하하하하! 그래, 얼른 와!

"옙!"
탁!
볼로 폴더를 밀어 전화를 끊은 종혁은 박상철을 툭 쳤다.
"일어나. 본청 가야 돼."
본청이란 말에 박상철은 헛웃음을 터트렸다.
좀도둑 따위가 본청을 구경하게 생겼다.
"하, 나 뭐 하나만 물어봐도 돼요?"
"응. 뭔데?"
"진짜 궁금해서 그런데, 대체 나를 어떻게 찾는 겁니까? 프로파이? 뭐 그거예요?"
교도소에서 들은 적 있다.
목소리만 들어도 나이부터 키까지 범죄자 신상이 쫙 나오는 그런 수사 기법이 있다고.
이제 범죄자는 싹 다 죽었다고.
"프로파일링? 아닌데?"
"그럼요?"
"흥신소. 너 전담 마크 중이야. 앞으로도 계속 그럴 거고."
종혁은 박상철이 돌이킬 수 없는 사고를 치기 전에 예방하기로 했다. 제대로 된 복수, 영원히 교도소에 넣기 위해 애먼 사람을 죽일 순 없었다.
"……하아."
'그래, 관두자, 관둬. 이번에 들어가면 기술이나 배우자.'
이 지독한 새끼랑 계속 얽히는 것보다는 차라리 용접이든 뭐든 기술 자격증을 따는 게 나을 것 같았다.

"타."

'씨벌. 또 차 바꿨네.'

저번에 잡혔을 땐 독일 V사였는데, 이번엔 최고급 세단인 B사다.

'개새끼.'

빠악!

"왜 또!"

"속으로도 욕하지 마, 새끼야."

'씨발. 씨발.'

툴툴거리던 박상철은 차창 밖을 보다 눈을 동그랗게 떴다.

"어? 눈이다."

종혁도 앞 창문을 보며 고개를 끄덕였다.

"……그러네."

흐릿한 밤하늘, 새하얀 눈이 소복소복 내리고 있었다.

'아, 씨발. 빵에서 자다가 입 돌아가겠네.'

'흠. 대리를 불러야 하나.'

2001년 1월의 어느 날, 같은 공간에 있는 두 사람은 서로 다른 생각을 가졌다.

* * *

경 시드니올림픽 금메달 획득 축

유도 무제한 체급 최종혁

특수범죄수사과를 들어가면 가장 정면에 보이는 문구다.

"저걸 아직까지 안 뗐네."

시드니올림픽이 열린 건 작년인 2000년 9월이다.

"어휴. 저걸 어떻게 떼냐? 무려 경찰대 소속으로 나가서 딴 건데! 청장님 특별 지시야."

경찰 간부후보생이 유명 체대 실업 선수들을 모두 제치고 금메달을 땄다. 게다가 유도 국가대표 주장 및 수석 코치.

경찰대학 1학년 학년 수석.

자랑하지 않을 수가 없었다.

"특별 지시였구나……."

그동안 계속 말해도 왜 안 뗐나 싶었다.

"이런 거 안 해도 경찰 할 건데."

피식 웃은 김종두 과장이 박상철을 봤다.

"오랜만이다? 살이 좀 빠졌는데?"

"안녕하십니까, 반장님. 아니, 과장님."

"뭘로 왔어?"

"가택침입 미수 및 절도 미수요. 이번까지 합하면 8범입니다."

그중 오늘까지 합해서 세 번은 종혁에게 잡혔다.

"잘 아네. 어떻게 하는지도 알지?"

"예……."

한숨을 푹 내쉰 박상철은 가까이 있는 형사 앞에 앉았다.

"이름. 박상철이요. 나이. 31살입니다. 사는 곳은……."
"천천히 말해. 나 독수리야."
"……어후우."
그걸 보며 낄낄거린 김종두 과장은 종혁을 툭 쳤다.
"나가자."
"일 많은 거 아니에요?"
이 시간까지 회사에 남아 있다면, 보통 사건이 아니라는 거다.
"집중 단속 기간이라 눈치 보고 있었어."
"아."
집중 단속 기간이라면 이해가 갔다.
단속에 동원되지 않더라도 같은 경찰이라는 의리로 자리를 지켜야 하는 기간.
미래에는 사라지는 문화다.
종혁은 오늘도 고생하는 형사들을 애잔하게 응시했다.
"삼겹살! 곱창! 통닭! 셋 중 하나! 소고기집은 문 닫았습니다!"
"……삼겹살-!"
"오케이, 껍데기까지. 다들 적당히 마무리하고 이모네로 오세요!"
"크아! 역시 우리 종혁이!"
"좀 있다 보자, 종혁아!"
종혁은 김종두 과장에게 가시죠, 하며 고개를 까딱였고, 김종두 과장은 고개를 저으며 걸음을 옮겼다.

박상철은 부러움에 몸부림쳤다.

* * *

오늘따라 유난히 노란 택시들과 승용차들이 앞다투어 빨리 가자 외치는 8시의 뉴욕.

한 손엔 커피, 한 손엔 베이글을 든, 코트를 입은 사내가 밤새 내린 눈에 얼어 버린 거리를 바삐 걷는다.

누가 봐도 평범한 회사원의 모습이다.

그러나 그의 낯빛은 어둡다.

AT모건이라 적힌 거대한 빌딩 안으로 들어간 그는 본인의 사무실로 향한다.

"좋은 아침."

"좋은 아침이야, 존."

먼저와 커피를 마시며 자료를 확인하던 사람들이 그를 반긴다.

그들이 얼굴엔 단 한 점의 그늘이 없다.

하늘을 모르고 치솟는 닷컴의 그래프 때문이다.

여길 봐도 저길 봐도 빨간색.

미국 역사상 최고의 활황에 매일 샴페인을 터트린다.

'바보들.'

마주 인사하며 자리에 앉은 그는 컴퓨터를 만졌다.

"……투자세가 또 떨어졌어."

1998년부터 미국 전역에 열풍을 일으킨 닷컴 투자가

주춤하고 있다. 나날이 고공행진을 하던 상승세에 제동이 걸리고, 기술력이 떨어지는 소기업들 중 몇 곳은 이미 파산했다.

쭉정이가 레이스에서 탈락하는 거야 당연하지만, 왜인지 불길하다.

"닷컴의 덩치가 너무 커졌어. 마지막 조정에 들어가는 거면 상관없지만……."

아니라면.

이게 파멸의 전조라면.

'지금이라도 빼야 되나?'

타다닥!

"음? KP컴퍼니가 자금을 회수하고 있네. 얘네가 왜?"

KP컴퍼니는 월가에서 제법 유명하다.

1999년 초, 월가에 데뷔해 불패 닷컴에서도 엄청난 수익을 올린 회사. 자본금이 무려 1억 달러에서 시작한 기업.

닷컴 열풍에 한발 늦게 편승했음에도 어찌나 잘 찍는지, 어떤 회사의 주식을 매입했다 하면 기본으로 다섯 배 수익을 올린 괴물 같은 곳이다.

이미 월가뿐만 아니라 일본, 홍콩 등에서도 주목하는 회사이다.

타닥!

"뭐야. 얘네 왜 일본과 홍콩 쪽 자금까지 회수해?"

영국까지 자금을 회수한다.

불길함이 더욱 커진다.

오싹!

"이놈들 설마? 닷컴이 무너질 거라 예측하는 건가? 에, 에이, 설마."

균열이 좀 보이긴 하지만, 닷컴은 불패다.

그러면서도 그의 손은 움직이고 있다.

타다다다닥!

존은 모니터에 나타난 뭔가를 보고 벌떡 일어났다.

쿠당탕!

의자가 구르는 소리에 모두의 이목이 집중됐다.

"무슨 일이야, 존?"

"아침부터 귀신이라도 봤어, 조니?"

"하하하!"

사무실이 웃음바다가 됐지만, 존에겐 들리지 않았다.

그는 다급히 키보드를 두드렸다.

그리고 다리에 힘이 풀렸다.

"실론티 홀딩스, 맥심 컴퍼니, TOP 스타……."

대략 30개 회사가 모두 KP컴퍼니와 똑같은 포지션이다.

이들 모두 1999년도에 데뷔한 회사들인데, 자금이 천만 달러 이상인 회사들만 추려서 이 정도다.

한국의 IMF를 한발 빨리 예견하고, 세계 증권가 전부가 패배한 러시아 모라토리엄에서 승리하고, 에콰도르 금융 위기, 이른바 삼바에서도 막대한 수익을 올린 한국의 권&박 홀딩스가 자금을 모두 회수한 뒤, 마치 바통을 이어받듯 우후죽순 생겨난 회사들.

그는 다급히 몸을 일으켰다.
상사를 만나야 했다.
그는 휘청휘청 쓰러질 듯 사무실을 가로질렀다.

* * *

하얀 수염의 덩치 큰 육십대 노인.
오늘따라 상쾌한 기분으로 출근했건만, 아침부터 쳐들어온 직원들의 말에 눈을 껌뻑인다.
"……나스닥이 60퍼센트 하락하면 40배를 토해 내야 한다고?"
단계적으로 20퍼센트에 10배, 40퍼센트에 20배다.
"그래. 그런 상품을 발행한 기억이 있는 것 같아."
당시 열풍에 미쳐 있을 때라 한 푼이라도 더 벌기 위해 그런 파생 상품을 만든 기억이 있다.
똥손인 도박 중독자들과 의심종자들의 돈도 빨아먹기 위해.
나스닥뿐만 아니라 AT모건의 주가까지 대상으로 상품을 만들었다.
"저, 저희뿐만이 아닙니다. 월가 메이저, 영국, 일본, 홍콩 등 저희와 같은 상품을 발행한 메이저들 모두가 타깃입니다! 그 권&박도 하락에 포지션을 잡았습니다! 그것도 폭락에!"
권&박 홀딩스는 노인도 이름을 들어 봤을 정도이다.

1997년 혜성처럼 등장해 세계 증시를 다이나믹하게 흔든 회사.

하지만 적당히 먹고 물러난 곳이라 신경을 끈 상태다.

지금은 한국 닷컴에 투자를 한다는 소문이 있었다.

“전부 KP?”

“아뇨. 하지만…….”

“KP가 얼만데?”

“저희만 2천만 달러입니다.”

총합 1억 달러어치 보험 상품 중 약 20퍼센트를 그들이 가져갔다. 나머지 상품도 다른 회사들이 싹 다 긁어 갔다.

“8억 달러?”

“예! 다른 회사들까지 모두 터지면 40억 달러입니다!”

실론티 홀딩스, 맥심 컴퍼니, TOP 스타 등 1999년에 생긴 회사들이 남은 80퍼센트 중 60퍼센트를 쓸어 갔다.

나머지는 러시아 쪽 자금이다.

게다가 효력 발생이 죄다 2001년 후반기에 집중되어 있다.

“저희 AT모건에서만!”

“그래서?”

“예?”

“뭐가 문젠데? 주가가 하락하지만 않으면 될 거 아냐. 모건이 그렇게 허술한 회사였던가? 나스닥이 무너질 것 같아?”

“하, 하지만 닷컴이 요새……!”

"이봐, 존. 닷컴은 상당히 저평가됐던 종목이야."
진흙 속에 묻혀 있던 다이아몬드.
"내 생각엔 이제야 제대로 된 평가를 받고 있다 생각하는데?"
그 말은 이제부터가 진짜 시작이란 소리다.
노인뿐만 아니라 월가 전체가 그렇게 생각하고 있었다.
"KP입니다, 론!"
현재 자금이 무려 15억 달러가 넘는다고 판단되는 회사.
권&박 홀딩스처럼 단 한 번도 실패하지 않은 회사다.
"이봐, 존. 사람은 누구나 다 실수를 해."
언제나 공격적인 투자를 감행했던 KP컴퍼니.
하지만 그들은 알아야 했다.
계속 공격 일변도면 그 칼은 곧 부러지고 만다는 것을.
"권&박 홀딩스도 그걸 알고 물러났어. 아, 권&박 홀딩스는 얼마지?"
"……5백만 달러입니다."
"거봐. KP컴퍼니에는 2천만 달러 감사히 받겠다고 엽서라도 한 장 보내 줘."
"삼촌!"
텡!
"입! 여긴 회사야!"
노인은 존과 함께 온 중년인을 봤다.
그는 필사적으로 못 들은 척하고 있었다.
"죄, 죄송합니다."

"……나가."

입술을 깨문 존과 중년인이 나가자 노인은 생각에 잠겼다가 이내 고개를 저었다.

"그 권&박도 아닌데, 무슨."

총자본이 15억 달러라고 하지만, 그 정도 자본은 언제든 파도에 휩쓸리는 모래성처럼 사라지는 곳이 월가다.

KP컴퍼니는 닷컴이 깨어날 시기에 생겨난 수천 개의 회사 중 하나일 뿐이었다.

그는 신경을 끄며 서류를 열었다.

* * *

호록.

모닝커피 한 모금이 이른 새벽의 졸음을 쫓는다.

-AT모건에서만 최소 32억 달러의 수익이 발생할 예정입니다.

"피유."

머리를 털던 종혁은 휘파람을 불었다.

'이게 다 얼마야.'

전 세계 메이저 증시의 메이저 증권사들에서 뽑아낼 수익만 생각해도 선뜻 계산이 안 된다.

'이후 공매도 작업까지 생각하면…….'

종혁은 계산하기를 포기했다.

"들킬 위험은 없나요?"

—전 세계에 수만 개의 페이퍼 컴퍼니를 세워 지분을 흩트리고 자금을 돌렸습니다. CIA 할아버지가 와도 저희를 찾진 못합니다.

종혁은 권&박 홀딩스에 이목이 집중되는 걸 막기 위해 미국 닷컴에 투자하기 전부터 이 작업을 지시했다.

이목이 집중되면 좋은 일보단 나쁜 일이 더 많이 생기기 때문이다. 그리고.

—……러시아만 빼면 말이죠.

이 작업을 새로 설계하고 완성시켜 준 게 러시아다.

KP컴퍼니처럼 완전하게 드러난 투자회사들에 괜찮은 사람들을 섭외해 준 것도.

러시아와 전혀 연관이 없는 사람들이었다.

'로스차일드나 석유 부자들, 그리고 숨겨진 부자들이 드러나지 않는 이유가 뭐겠냐고 했지.'

다 이런 식으로 자금을 넓고 은밀하게 퍼트렸기 때문이라고 했다. 따로 보면 티끌이지만, 하나로 뭉치면 태산.

러시아 정보국이 자금을 운영하는 방식이라고 했다.

"우린 러시아에 정당한 값을 지불했어요, 박 이사님."

정보가 아니라 돈을 주고 의뢰를 맡겼다.

—하지만!

"압니다. 그래서 몇 번 더 꽈 버린 거잖아요."

종혁은 러시아가 완성시킨 예술 작품에 손을 댔다.

박태규는 그걸 해낼 인재였고, 결국 해냈다.

러시아가 도와주겠다 제의한 이유가 태규의 작품이 어

설폈기 때문이었는데, 러시아가 작업하는 걸 죽 지켜보던 태규는 결국 그 모든 노하우를 습득해 버리더니 이젠 러시아도 자금의 흐름을 좇기 힘들 정도로 꼬아 버렸다.

"그들이 절 친구처럼 대해 주지만, 완전히 믿지 않습니다."

정보국을 믿는 것만큼 멍청한 짓도 없다.

"이 정도면 대답이 됐을까요?"

–음. 알겠습니다.

"네. 그럼 수고해 주시고…… 아, AT모건에 우리 여사님 돈이 얼마나 투자됐죠?"

–하핫. 2백만 달러 정도 매입했습니다.

"그거 터지면 쏴 주세요. 엄마 빌딩 사 드리게."

–또요?

"나이 드신 분들에겐 부동산이 최고죠."

–알겠습니다. 그렇게 하겠습니다.

"네. 그럼 오늘도 수고하세요. 전 새벽 운동하러 갈 시간이네요."

–이 새벽부터 운동을 하다니…… 경찰대도 참 힘든 곳이군요.

"어쩌겠어요. 이게 커리큘럼인데."

새벽 운동은 엄연히 학점에 포함되는 경찰대학의 정식 과정 중 하나이다.

오늘도 볼로 밀어 전화를 끊은 종혁은 운동복을 갖춰 입고 개인 기숙사를 나섰다.

* * *

이제 막 해가 뜨기 시작하는 이른 아침임에도 운동장 트랙에는 동기와 선후배들이 나와 몸을 풀고 있었다.

그들 중 몇 명이 종혁을 발견하고 우르르 몰려왔다.

"종혁아, 저번 주 토요일에 또 범죄자 잡았다며?"

"이번엔 뭐야? 소매치기? 성추행범? 설마 조폭?!"

마치 먹이를 물고 온 어미새를 마중 나온 새끼 새들처럼 조잘거린다.

종혁은 머리를 긁었다.

"그건 또 어디서 들었데? 본청에 빠락지 심어 놨어?"

아이들이 꺄르르 웃었다.

"아니? 누가 학장님이 통화하는 걸 들었다는데?"

"학장님 빠락지가 본청에 심어져 있는 건가……."

"아, 가능성 크다."

"맞아. 학장님 계급이……."

치안정감. 대한민국 경찰 서열 2위로, 차기 경찰청장 1순위라고 할 수 있는 계급이다.

"아, 나도 눈앞에 범죄자가 있으면 때려잡을 수 있는데! 종혁아, 다음엔 나 꼭 데려가라. 응? 응?"

"나도!"

"우리도!"

'아서라. 너희 잡을 일 있냐.'

나이는 천차만별이지만, 이제 겨우 1학년이다.
곧 2학년이지만, 솜털조차 이제 막 자라나는 신생아.
단순한 소매치기라도 검거하다가 골로 갈 수 있었다.
"그래. 상황 봐서. 자, 다들 운동하자!"
"오오!"
"좋았어! 오늘도 열심히 뛰어 볼까!"
1학년들은 하나로 뭉쳐 운동장 트랙을 달리며 까르르 웃었고, 2학년, 3학년들은 그런 그들을 못마땅하게 쳐다봤다.
정확히는 종혁이다.
"하, 저놈은 부소대장 안 하겠지?"
"그렇지. 금메달 땄잖아."
경찰은 경찰대학을 졸업해 간부가 된다고 해도 군 복무를 해야 한다. 다만 간부이기에 기동대 부소대장으로 2년 동안 대체 복무를 한다. 그런 이후에 2년 반 동안 순환 보직을 돈 후, 원하는 과를 선택할 수 있다.
그러나 금메달을 두 개나 딴 종혁은 예외이다.
졸업을 하자마자 곧바로 순환 보직이다.
기수가 씹히는 거다.
"확 씨, 날 잡아?"
"아서라. 제3 기숙사 세운 게 종혁이다."
원래 경찰대는 2인 1실이 원칙인데, 종혁으로 인해 1인 1실로 바뀌었다. 그것도 모자라 침대도 최고급으로 싹 다 바뀌고 에어컨과 히터도 최신식으로 바뀌었다.
"아무리 기수가 씹힌다지만, 은혜 잊는 개새끼는 되지

말자.”

“야 씨, 누가 그런대? 말이 그렇다는 거지.”

“그럼 됐고. 뛰자.”

“어. 아, 그런데 걘 왜 기숙사를 지은 걸까? 수석으로 들어온 놈이 말이야.”

“내가 아냐. 부잔가 보지.”

“아닌데. 걔 엄청 어렵게 살았다고 했는데…….”

“안 뛰어?”

“아, 알았다고!”

프라이버시 보호와 아침 보고를 편히 받기 위해 기숙사를 새로 지어 버린 걸 모르는 그들은 칼날처럼 차가운 공기를 들이마시며 뛰기 시작했다.

침대, 에어컨, 히터 등은 자신의 방만 바꾸는 게 눈치 보여서 그냥 전부 바꾸어 준 것이다.

동기와 선후배들에게 존재감을 각인시킬 겸 말이다.

“아, 추워! 방학 좀 얼른 와라!”

“그 전에 기말시험부터 생각해야지.”

“……씨발.”

경찰대학의 방학은 2월 말부터 시작한다.

“개추워!”

“졸라 추워!”

달리며 흘린 땀이 빠르게 식자, 모두 다급히 기숙사를 향해 달렸다. 종혁도 마찬가지였다.

그렇게 기숙사에 다 와 갈 때쯤이었다.

"종혁아!"

"예! 선배님!"

"학장님이 부르신다. 얼른 가 봐!"

"예?"

'갑자기 왜?'

종혁은 고개를 모로 기울였다.

* * *

척!

거수경례하는 종혁을 학장이 반갑게 맞이한다.

"어, 그래. 앉아, 앉아."

학년 수석인 것도 모자라 무려 기숙사를 세우고, 침대, 에어컨, 노트북 등을 죄다 최신식으로 바꾼 종혁이다.

예뻐하지 않을 리 없다.

그런 학장의 옆에는 사십대 후반의 중년인이 앉아 있다.

'어? 청장님?'

지금의 경찰청장이 아니라 가까운 미래에 경찰청장이 되는 인물이다.

종혁이 형사가 막 된 시기에 청장이 되었던 인물이자, 경찰 예산 증대에 막대한 영향력을 끼친 인물이다.

"바쁘시다면 다음에 오겠습니다."

"아냐. 괜찮아, 앉아."

조대길 학장이 따뜻하게 웃는다.

"어떻게 된 거야?"

원승이 박상철에 대해 묻는 것 같았다.

"예. 박상철이 출소했다는 소식을 듣고 찾아갔다가……."

"단단히 준비를 하고 나서는 그놈을 발견한 거야?"

"예, 그렇습니다."

"암. 그래야지. 무릇 참된 경찰이라면 잡아넣은 범죄자도 살펴볼 줄 알아야지!"

실제로도 경찰 시스템이 그렇다.

범죄자가 출소하면 그 주소의 관할서와 검거한 형사에게 출소 사실이 통보된다.

영화나 드라마에서 어떤 사건이 터졌을 때 관련 전과가 있는 범죄자들을 죄다 경찰서로 소집할 수 있는 것도 바로 이런 이유 때문이다.

"잘했어!"

"감사합니다."

조대길 학장은 덤덤히 대답하는 종혁을 보며 흐뭇해했다.

"그래도 몸 사려 가면서 해. 큰일 해야 될 간부가 그런 잡범 잡다가 몸 상해서야 되겠어?"

"하하. 알겠습니다."

"아, 맞아. 이쪽은 처음 보지?"

"아닙니다. 알고 있습니다."

두 사람이 놀란다.

종혁은 일어나 그에게도 거수경례를 했다.

"본청에 들를 때 뵌 적 있습니다, 차장님. 경찰 간부후보생도 최종혁입니다. 충성."

본청 차장. 이 사람 역시도 치안정감이다.

"……최기룡입니다. 날 봤다 한들 잠깐 스쳐 간 것에 불과했을 텐데 기억하다니 놀랍군요."

"편히 이야기하십시오."

"흠. 그러지. 자네 어디 최씨인가?"

최기룡의 얼굴에 기대감이 서린다.

'와, 오랜만에 듣는 질문인데?'

미래엔 너무 꼰대 같다며 잘 하지 않는 질문이다.

"경주 최씨 충렬공파입니다."

최기룡의 눈이 커진다.

"으하핫! 이거 같은 집안 사람이었구먼!"

이번엔 종혁이 놀란다.

'같은 집안이었어?'

그렇다고 한들 최씨에게 도움받은 건 없지만, 그래도 거리감이 좁혀진다.

"그렇지. 우리 충렬공파가 아니면 이런 불세출의 영웅이 나올 수가 없지! 종자 돌림인가?"

"예, 그렇습니다."

"내 조카뻘이구먼."

최기룡은 푸근히 웃으며 눈을 빛냈다.

개천에서 태어난 용, 유도 영웅.

십대 때 해결한 사건만 무려 5건이고, 가장 굵직한 건으로 한상원 사건이 있다. 또 경찰대학에 기숙사를 세우고, 경찰에도 작전 지원 기기 구입을 해 달라며 무려 5억씩을 매해 기부하는 자수성가 알부자다.

그 부담스러운 시선에 종혁은 이 사람이 여기 왜 있냐는 듯 슬쩍 조대길 학장을 봤다.

"아, 여기 최 차장이 내 후임으로 올 사람이라 인사 왔기에 잠시 소개시켜 주려고 불렀어. 앞으로 학교 다니면서 불편한 거 있으면 이 사람과 이야기하라고 말이야."

"예?"

'다음 학장이 이분이었어?'

종혁은 잘 부탁한다며 웃는 최기룡을 멍하니 보았다.

종혁이 나간 자리.

조대길 학장이 온기가 남은 찻잔을 들어 올렸다.

"어떤가. 쓸 만해 보이지?"

"글쎄요. 아직은 지켜봐야죠. 천지 분간 못 하고 날뛰는 망아지인지 아니면……."

'내가 만들려는 경찰에 어울리는 놈인지.'

방금 전까지 동네 아저씨였던 최기룡은 눈을 매섭게 빛내며 남은 찻물을 들이켰다.

"잘 마시고 갑니다."

* * *

'경찰대 학장이라면 한직으로 밀려나는 건데.'

그런데도 경찰청장이 되는 걸 보면 엄청난 능력자임이 분명했다.

'그러고 보면 경찰대 학장 출신 청장님들이 제법 있었지.'

종혁이 죽는 날까지 합하면 거의 7명이었다.

"종혁아! 학장님이 왜 부르신 거야?"

"어? 아, 몸조심하라고."

"와아. 학장님에게 그런 말을 들어? 좋겠다!"

'좋기는.'

최고위 간부는 되도록 만나지 않는 게 좋다.

그래야 조직 생활을 오래한다.

물론 종혁은 되도록 많이 만나야 되지만.

아는 간부가 많을수록 그 조직을 잡을 때 도움이 되기 때문이다.

"그보다 1교시 뭐야?"

"기초 범죄심리학."

종혁과 함께 움직이던 동기들의 얼굴이 썩는다.

이놈의 범죄자들 심리는 배워도 배워도 끝이 없다.

"임성원 교수님인가?"

'임성원 의원.'

훗날 국회의원이 되는 인물이다.

경찰 출신으로 가끔은 같은 형사들끼리도 '저건 아닌데?' 할 만한 일을 하지만, 그래도 경찰의 권익 보호와 향상을 위해 노력하던 인물이다.

현재는 경찰대학 행정학과 및 기초 범죄심리학 교수다.
강의실에 도착한 그들은 모두 가방에서 노트북을 꺼내어 켰고, 이윽고 임성원 교수가 하품을 하며 등장했다.
종혁과 1학년 법학과 총원 50명이 몸을 일으켰다.
경찰대학의 학부는 법학과와 경찰행정학과로 나뉘는데, 이 안에서 세부 과목이 또 나뉜다.
"차렷. 경례!"
"충성!"
"그래. 좋은 아침이다. 자리 앉아. ……하아암. 어우, 날을 샜더니 졸리네. 나도 이제 나이가 들었나?"
작은 웃음이 잔잔하게 터져 나왔다.
장난이었다는 듯 씩 웃은 임성원 교수는 눈을 빛냈다.
그리고 강의가 시작됐다.

3시간짜리 강의는 순식간에 지나갔다.
시계를 힐끔 본 임성원 교수는 마무리를 준비했다.
"이제 곧 기말고사지?"
"아아."
생도들의 얼굴이 일그러진다.
과제도 과제지만, 시험이 더 싫은 그들이다.
"좋으면서 아닌 척하기는."
'아닌데요!'
생도들은 표정으로 대답했지만, 임성원 교수는 무시했다.

"어제 일본 뉴스 본 사람?"

생도들은 동기들을 보며 눈을 껌뻑였다.

"최종혁 생도."

"탈주범 뉴스 말입니까?"

일본 어느 섬에 있는 교도소에서 한 범죄자가 탈주했고, 탈주한 지 벌써 10일째라고 했다. 현재까지 동원된 경찰만 수백 명.

죄목은 납치 강간 후 살해이다.

일본 전역이 공포에 떨고 있다고 했다.

"역시 학년 수석. 빈틈이 없어."

학생들도 일본 뉴스까지 챙겨 보냐며 질렸다는 듯 종혁을 쳐다보았다.

그들로서는 매일매일 쏟아지는 과제를 쳐 내는 것 만해도 벅찼기 때문이다.

"하하."

"내가 왜 갑자기 이런 이야기를 하냐면, 이번 기말고사를 이걸로 대체하려고 하기 때문이야."

"……?"

"연습장 한 장만 줘 봐."

"예! 여기 있습니다."

가장 앞에 있는 생도에게 연습장 한 장을 넘겨받은 그는 그걸 12등분 하더니 뭔가를 적어 접었다.

"조장들 나와서 하나씩 골라."

조별 과제 조장들. 처음 정해진 게 지금까지 이어지고

있다.

종혁도 몸을 일으켜 하나를 골랐다.

고민해 봤자 뭔지도 모르기에 대충 골랐다.

"그게 이번 기말고사다."

"……?"

의아해하며 쪽지를 펼친 종혁은 너무도 익숙한 이름에 굳어 버렸다.

"거기 쓰인 범죄자에 대한 행동심리, 범죄심리, 언제 어떤 범죄를 저질렀는지, 과연 그는 동정할 인물인지까지 조사해서 레포트 만들어 봐."

"악!"

설명만 들어도 난해하기 짝이 없는 과제.

생도들의 얼굴이 파랗게 질린다.

종혁도 낯빛이 굳었다.

"인터뷰도 꼭 해 오고. 그것을 위한 주말 외출은 허락한다."

'인터뷰?!'

종혁은 다급히 임성원을 봤다.

눈이 마주친 임성원은 씩 웃었다.

"낙장불입."

'……우라질!'

종혁은 다시 쪽지를 봤다.

거기엔 '한상원', 세 글자가 적혀 있었다.

*　*　*

저벅, 저벅.

경찰 제복을 입은 종혁과 조원들이 한 손엔 각진 서류 가방을 든 채 교문으로 내려간다.

외출 시 무조건 정복 차림.

벗었다가 걸리면 징계다.

"당연히 동정할 여지조차 없지!"

"하지만."

불세출의 탈옥범.

의적 한상원.

부잣집만 골라 털고, 그 돈으로 기부도 해서 그렇게 불렸다.

"야, 한상원을 동정하려면 지존파 싸이코들도 동정해야 돼."

종혁은 조원의 말에 적극 동의했다.

지존파.

어느 형사에 의해 붙여진 이름이자, 90년도 중반에 대한민국을 떠들썩하게 만든 연쇄살인범들이다.

범죄심리학으로 봤을 땐 세상 찌질했던 놈들.

지금은 형장의 이슬로 사라졌다.

종혁은 조원들을 봤다.

"한상원이 왜 수감됐는지 아는 사람?"

"어…… 뭐였지? 절도 및 상해였던가?"

이렇다.

대부분의 사람들은 그가 어떤 악질인지 모르고, 대중매체에서 말한 이야기만 알고 있다.

"그놈 강도치사로 무기징역 받았던 놈이야."

강도치사.

강도 행각을 저지르던 중 살인을 했다는 거다.

"……!"

"기부? 수억 털어서 겨우 백만 원 한 놈이야. 왜? 도피 행각에 필요했기 때문에."

"진짜?!"

한상원을 동정해야 된다는 쪽이었던 조원의 얼굴이 구겨졌다.

종혁은 차갑게 웃었다.

"괘씸죄로 22년 6개월 형? 그게 뭐 어때서? 그 새끼는 원래부터 평생 깜빵에서 썩어야 했던 놈이야."

"……."

"아, 버스다."

그들은 깊어지는 생각을 잠시 접으며 달리기 시작했다.

경찰대학교의 빡빡한 규율은 외출 시 생도들이 달리는 것조차 허용하지 않지만, 이 버스를 놓쳤다간 이 엄동설한에 몇 십 분 떨어야 하기에 어쩔 수 없었다.

그렇게 겨우 셔틀버스를 잡아 탄 그들은 용인의 한 유

료 주차장으로 향했다.

"허우씨, 차 진짜."

경찰 간부후보생이라지만, 이십대다.

차에 한참 관심이 많을 시기이다.

삼각형별의 V사가 아닌, 안전하기로 유명한 V사의 왜건.

"타."

타, 시니컬한 한마디가 어쩜 이렇게 멋져 보이는지.

멍해 있던 조원들은 얼른 차에 올랐고, 종혁은 한상원이 있는 교도소를 향해 차를 출발시켰다.

* * *

차르륵! 끽! 탁탁!

차에서 내리며 기지개를 편 조원들이 거대한 교도소를 보며 눈을 빛냈다.

"여기가 그 유명한 청송!"

대한민국 최고 악질 범죄자만 모아 놓는다는 악명 높은 교도소이다.

차에서 내린 종혁은 교도소 담장을 보며 한숨을 내뱉었다.

"그 새끼 날 죽이려 들 텐데."

목부터 조르지 않으면 다행이었다.

"응? 뭐라고?"

"아냐. 들어가자."

교도소 입구로 다가간 종혁은 입구를 지키는 나이 든 교도관을 향해 거수경례를 했다. 계급도 높았다.

"충성. 오늘 한상원 면회 예약을 잡은 경찰대학교 경찰간부후보생도 최종혁 외 4인입니다."

"……아, 이야기 들었습니다. 그때 얼마나 놀랐는지. 하하. 안으로 들어오시죠."

"그럼 실례하겠습니다."

그들은 안으로 안내됐다.

"여기서 기다리시면 한상원이 도착할 겁니다."

안내된 곳은 식당이었다.

금속제 사각 식탁이 늘어서 있는 교도관 식당.

'맞아. 청송은 접견실이 없지, 참.'

범죄자 인권이란 말이 없는 교도소가 청송이다.

아마 다른 식구인 경찰 간부후보들에게 더럽고 허름한 면회실을 보이기 싫어 이곳으로 안내한 듯싶었다.

교도소는 경찰과 달리 법무부 산하의 조직이다.

"아, 잠시만요!"

종혁은 막 입구를 나서는 그의 품에 냉큼 하얀 봉투를 찔러 넣었다.

"오늘 저희 때문에 수고하시게 됐으니 저녁에 직원들과 술 한잔하십시오."

인터뷰에 몇 시간이 걸릴지 모른다.

이 정도 기름칠은 사회인의 덕목이었다.

"……허. 잘 쓰겠습니다."

특이한 사람이라는 눈빛을 지던 그는 떠났고, 조원들은 다가오는 종혁을 보며 의아해했다.

"잘 부탁드린다고 이야기했어."

"아, 그래?"

조원들이 모자를 벗으며 자세를 풀었다.

그리고 주위를 둘러봤다.

"여기가 청송이구나. 뭔가 음습해."

"허, 그 청송이라서 교도관조차 엄청 날카로울 줄 알았는데, 옆집 아저씨 보는 줄?"

"일반인에게도 날카로우면 그게 사람이냐? 싸이코지."

그렇게 이야기를 나누던 그들은 이내 곧 귀를 자극하는 소리에 입을 다물었다.

차륵! 차륵!

쇠사슬이 끌리는 소리.

그들은 식당 입구를 봤다.

가슴에 주황색 명찰을 단 한상원이 양팔과 양 발목에 수갑을 찬 채 교도관들의 구속을 받으며 들어오고 있었다.

그러던 그는 종혁을 발견하곤 눈을 부릅떴다.

"너, 너어!"

'역시 아직 화가 덜 풀렸구먼?'

한숨을 쉰 종혁은 싱긋 웃었다.

"하이?"

"너 이 개새끼! 놔!"

퍼억! 좌륵!

"억!"

"악! 잡아!"

눈이 뒤집힌 한상원이 교도관을 뿌리치며 달려왔다.

그에 조원들이 다급히 일어서며 자세를 잡았고, 종혁은 어느새 코앞까지 다가와 목을 조르기 위해 뻗는 한상원의 양팔을 잡아 그대로 엎어 쳤다.

퍼어억!

"꺽?!"

2미터 허공에서 시멘트 바닥에 팽개쳐졌다.

그 충격에 숨통이 꽉 막히자 한상원은 가슴을 긁으며 버둥거렸고, 종혁은 짜악 뺨을 때렸다.

"그래, 새끼야. 내가 너 반성 안 할 줄 알았다."

"이 씨발 새끼가! 너 때문에!"

"그땐 일반인 신분이라 아무것도 안 했지만, 지금은 다르다. 내가 너 사지 꺾어 놔도 뭐라 할 사람 없어."

"……."

한상원은 이를 악물었다.

'이 새끼 진심이다!'

눈알에 지독한 살의가 서려 있다.

"그리고 여기 청송이다?"

"……!"

교도관이 범죄자를 때려 죽여도 가벼운 문책만 받고 마

는 청송.

대한민국 최악의 범죄자만 모아 놨기 때문에 어쩔 수 없이 강경하게 대응하는데, 그래서 대한민국 범죄자들이 가장 기피하는 교도소다. 실제로 청송에 이감된다는 말을 들으면 차라리 자살을 택하겠다는 범죄자들도 있을 정도였다.

얼굴이 구겨진 교도관들을 본 한상원은 재빨리 힘을 풀었다.

그의 볼을 툭툭 친 종혁은 몸을 일으켰다.

"미안합니다. 교도관님들께서 해야 할 일을 제가 했네요."

"……큼. 일이 있으면 부르십시오. 저흰 밖에 있겠습니다."

한상원을 죽일 듯 노려본 그들은 기록관 한 명을 두고 밖으로 나갔고, 한상원은 좀 있다가 죽었다며 얼굴을 구겼다.

"뭐 해. 저기 앉아. ……응? 왜?"

동기들이 입을 떡 벌린 채 바라보고 있다.

"아, 아는 사이야?"

"어떻게?"

"아. 이 새끼 내가 처넣었어."

"뭐?"

종혁은 그때 일을 설명했고, 동기들의 눈과 입은 이제 찢어질 수 없을 만큼 커졌다.

"씨발. 개 좆 같은. 내가 이런 애송이한테……."

빠아악!

"시끄럽고. 앉아."
"크악! 진짜!"
"범죄자 인권 이 지랄하면 아가리를 찢어 놓는다."
입을 꾹 다문 한상원은 종혁의 맞은편에 앉았다.
종혁도 자리에 앉았다.
"야, 이래도 돼? 괜찮아?"
"아, 괜찮아. 범죄자한테는 이래도 돼."
종혁은 얼굴이 구겨지는 한상원을 보며 서류 가방을 열었다.
"옛다. 먹어라. 너 이거 좋아하지?"
'토, 통닭!'
그것도 교도소에서는 절대 볼 수 없는 후라이드 양념 반반이다.
한상원은 기록관의 눈치를 봤다.
그도 종혁이 준 통닭을 뜯고 있었다.
"소장님께 허락받은 거니까 먹어."
"크, 크흠. 주는 거니까 먹긴 먹는데, 네놈을 용서한 건 아니다."
"허이구, 지랄 나셨어요. 나도 너 싫어요."
그래도 눈치를 보던 한상원은 양념 닭다리를 집어 입에 가져갔다.
아수삭!
입안에서 뭉개지는 달콤하고 매콤한 양념 맛.
아직 따뜻한 통닭 옷이 물컹하면서도 바삭하다.

한상원의 눈가가 파르르 떨렸다.

'흐윽!'

설움이 치솟았다.

종혁은 그가 세 조각 먹었을 때 옆으로 치웠다.

"야!"

"나머진 인터뷰 끝내고 먹어. 따뜻하게 먹으려면 후딱, 그리고 잘, 그리고 열심히 해야겠지?"

"……개새끼. 뭐가 궁금한데?"

"처음부터."

"……뭐?"

"너 태어나면서부터 지금까지 기억나는 거 모두 다. 통닭 먹으려면 상세하게 말하자."

"씨발놈이?"

그렇지만, 한상원에겐 선택권이 없었다.

너무 부족하게 맛본 통닭 맛이 갈증을 일으켰다.

* * *

"그러니까……."

"야. 아가리 털지 마라. 어디까지나 사실적이고 객관적으로. 네 사견 따윈 필요 없어."

"……개새끼."

그렇게 진행된 인터뷰는 거의 4시간 만에 끝났다.

중간중간 이해가 안 되는 부분은 질문하고, 그 당시의

속내도 들었기 때문에 오래 걸렸다.

하지만 모두 만족했다.

'이 정도면 우리가 무조건 일등이야!'

'다른 놈들은 이렇게 세밀하게 조사 못 했을 거야!'

범죄자의 입으로 직접 듣는 당시의 심리 상태이다.

아마 다른 조는 이렇게까지 못했을 거다.

'우리도 종혁이가 아니었다면 이렇게까지 못했을 테니까!'

극악 범죄자에게 왜 통닭을 사 주나 했더니 이런 뜻이 있었던 거다.

'역시 수석인 데는 다 이유가 있다니까!'

거기다 아는(?) 사이라서 대화도 편했고, 누구 한 명 빨리 끝내라 눈치를 주지도 않았다. 도서관에서 자리를 차지하고 있어도 선배들이 눈치를 주는데 말이다.

"이 정도면 다 된 것 같은데……."

종혁은 얼른 레포트를 작성하려는지 마음이 급해 보이는 동기들에게 키를 내밀었다.

"먼저 가 있어. 난 할 이야기가 더 있어서."

"그래?"

'맞아. 종혁이가 목격자였지.'

고개를 끄덕인 그들은 나갔고, 한상원은 눈을 가늘게 떴다.

"뭔데?"

종혁의 눈도 가늘어졌다.

“교도소에서 뭐 들은 거 없어? 뭐든지 털어 봐. 괜찮은 거 있으면 네 사식은 내가 무조건 책임진다.”

‘사식?’

……꿀꺽!

종혁은 속으로 웃었다.

‘그럴 줄 알았지.’

그가 훔친 돈을 가지고 있던 애인도 징역형을 받았다.

사식 사 먹을 돈이 있을 리가 없었다.

더욱이 여긴 사식조차도 엄격한 청송 교도소.

“……왜 그런 걸 묻는데?”

“경찰 간부후보생이 왜 그런 걸 물을까?”

교도소는 범죄자들이 출소 후 저지를 범죄를 모의하는 곳이다.

회개하는 사람도 많지만, 죄를 뉘우치지 못하는 놈들도 많다.

“나보고 쁘락지가 되라고?”

한상원의 표정이 굳는다.

“너 어차피 빵에서 평생 살아야 해. 사식 안 먹을 거야? 만날 사식으로 배 채울 수 있는데?”

“……넌 진짜 개새끼다. 씨발 어린놈의 새끼야.”

“감사.”

‘다행이군.’

교도소 내 정보원을 만들기가 가장 힘든데, 일이 쉽게 풀렸다.

"후."

갈등하던 한상원은 목소리를 낮췄다.

"그게……."

"흠. 오? 그래?"

그렇게 추임새를 넣어 가며 범죄자 인적 사항과 그들이 저지른 범죄 내용들을 모두 기억한 종혁은 기록관의 눈치를 슬쩍 보곤 서류 가방에서 어떤 몽타주를 꺼내 보여 줬다.

이게 한상원과 따로 독대한 진짜 이유이다.

"이 새끼들 본 적 있어?"

대전에서 만난 그 조직 놈들.

"누군데?"

"내 돈 떼먹고 튄 새끼들. 너도 내가 돈 많은 거 알지?"

한상원은 고개를 끄덕였다.

매일 채널 한 개만 나오는 교화 TV가 어느 날엔 두 개 이상 나올 때가 있는데, 그때가 바로 올림픽과 월드컵 때다.

그를 통해 종혁이 부자였다는 걸 알고 얼마나 분통을 터트렸는지 몰랐다.

"미친놈들이네."

하나만 봐도 전체를 알 정도로 미친놈이 종혁이다.

진짠지 의심스러웠지만, 그는 캐묻지 않기로 했다.

어차피 거래 관계.

깊게 알아 봐야 이쪽만 고달프다.

"……몰라. 처음 봐."

'쯧.'

이럴 거라 예상했던지라 작게 실망한 종혁은 몸을 일으켰다.

"기억하고 있다가 보면 연락해. 값은 치른다."

"야, 그러려면……."

"다 외워 놓고 수 쓰지 마라. 간다. 고생 많으셨습니다."

기록관에게 인사한 종혁은 교도소를 나섰고, 한상원은 그런 종혁의 등을 빤히 바라보다 몸을 일으켰다.

"가시죠."

"가긴 뭘 가. 엎어져. 야, 다 들어와!"

한상원은 기록관이 꺼내드는 방망이에 '씨발' 한마디를 뱉었다.

한편 밖으로 나온 종혁은 흐릿한 하늘을 보며 혀를 찼다.

"뭘 숨긴다 해도 지가 원하는 게 있다면 연락하겠지."

눈치가 비상한 놈이다.

믿을 수 없는 범죄자와 붙어먹는 것보다 돈 많은 경찰에 붙어먹는 게 더 이득이라는 것쯤은 아는 놈.

'아니라고 해도…… 덫은 놨으니까 됐어.'

혹여 한상원이 놈들에게 불어도 괜찮다.

놈들이 찾아오면 한상원부터 추궁하면 될 테니 말이다.

"으아!"

기지개를 편 종혁은 차로 향했다.

6장. 수작

수작

겨울도 마지막이란 걸 아는지 마지막 발악을 하는 3월 초.

방학이 됐다.

한상원의 적극적인 협조에 종혁의 조는 기말고사에서 A+를 받으며 기분 좋게 방학을 시작할 수 있었다.

1년 동안 고생한 생도들은 모두 쉬기 바빴지만, 종혁은 아니었다.

방학 때가 더 바빴다.

미국의 닷컴 버블이 본격적인 균열을 일으키기 시작하고, 분당에 있는 정수찬이 가시적인 성과물을 내놓았기 때문이다.

종혁은 방학을 하자마자 바로 분당으로 향했다.

"이겁니까?"

누가 봐도 실험실이라 말할 수 있는 작은 창고 같은 공간.

마치 다방에서나 볼 법한 육각 성냥갑처럼 투박하고 주먹만큼 큰 육각형 기기가 놓여 있다.

렌즈가 영롱했다.

"삼전에서 메모리를…… 예, 이겁니다."

전문용어를 설명해 봐야 알아듣지 못할 게 뻔했기에 정수찬은 생략했다.

"화질은요?"

"직접 확인해 보시죠."

블랙박스와 연결된 컴퓨터에 화면이 뜬다.

'오? 이 정도면 240 정도는 되겠는데?'

5미터 거리의 번호판을 식별할 수 있다.

이 정도면 1년을 기다린 보람이 있다.

하지만.

"음. 미안합니다."

"뭐가요?"

"메모리 용량 문제로 상시 녹화가 안 됩니다."

"아……."

반쯤 성공.

종혁은 아쉬울 수밖에 없었다.

'뭐, 메모리 문제라니까.'

이건 기술력의 문제이다.

종혁이 어찌할 수 있는 일이 아니다.

"그래서 대신 충격감지 센서를 장착해 충격이 발생했을 시 자동으로 켜지도록 제작했습니다."

"……예?"

종혁은 눈을 껌뻑였다.

그리고 귀를 후볐다.

"뭘 달아요?"

"충격감지 센서입니다."

"……귀가 멀쩡하구나."

종혁은 소스라치게 놀랐다.

"그게 더 대단한 거 아닙니까?!"

정수찬은 그제야 짓궂게 웃었다.

"충격을 받는 그 찰나에 켜진다면 더 놀라시겠네요. 평소엔 절전 모드입니다."

종혁은 '하 참……' 하며 어이없어 했다.

그러고는 정수찬의 손을 꼭 잡았다.

"그동안 정말 수고하셨습니다."

"모두 종혁 씨가 믿고 기다려 주신 덕분입니다."

렌즈부터 센서 등 이 안에 들어간 기술들을 확보하고 설계하기 위해 지난 1년간 하루 2시간 이상 자 본 적이 없다.

그러나 이건 공치사일 뿐.

완성된 작품을 보고 너무도 기뻐하는 종혁의 모습이 그동안 쌓인 모든 피로를 씻어 내렸다.

"그래서 크기가 이렇게 컸던 거군요."

"프로토 타입이라서 그렇습니다. 2년 안까지 여성 손바닥 크기로 줄이는 게 목표입니다."

"디자이너도 섭외해야겠네요. 여성도 욕심낼 수 있도

록 심플하고 귀엽게."

"그건 다른 팀에서 할 일입니다. 저희는 개발만 하면 되죠."

"그 말 정말 믿음직스럽네요."

빛이 난다는 게 이런 건가 싶었다.

"후후후."

"단가는 얼마 정도로 생각하십니까?"

"한화로 28만 원? 이것도 십만 대 기준입니다."

"……비싸네요."

미래 고가형 블랙박스야 이보다 비싼 게 많지만, 2001년 이 시기에 28만 원이면 엄청 비싸다고 봐야 했다.

'이러면 나가린데…….'

비싸도 너무 비싸다.

아무리 좋아도 이렇게 비싸서는 수요가 적다.

이걸 알기에 말을 하는 정수찬과 수석 기술자의 표정이 어두운 거다.

'이래서는 현오성 상무와 딜을 하려고 해도…… 흐음.'

만약 지금 왕자의 난이 벌어지고 있다면 어떻게든 딜을 할 수 있겠지만, 왕자의 난은 2000년에 끝났다.

단단히 준비한 박태규가 끼어들며 큰 소득을 올렸지만, 결론은 회귀 전의 역사대로였다.

더 분탕을 치려고 해도 현주영 왕회장이 대현그룹을 물려받을 이를 정해 버리니 그 이상 덤빌 수가 없었다.

당시엔 대현이란 적을 만들 시기가 아니었다.

승자는 5남 현몽헌. 그가 대현그룹을 물려받았다.

그러나 훗날의 진짜 승자는 대현자동차를 들고 계열 분리를 한 현몽구 회장이다.

그리고 현오성 상무는 그의 하나뿐인 아들이었다.

그 순간 종혁의 머리에 뭔가 스쳐 지나갔다.

'아! 이거 잘하면?'

생각해 보면 아직 현오성 상무에겐 경쟁자가 있다.

세 명의 누나.

왕자의 난에 치를 떤 현몽구 회장이 딸들에게 각기 회사 하나씩을 쥐여 주며 더 이상 욕심내지 말라 못을 박았지만, 그건 어찌 될지 모를 일이다.

그건 대현자동차의 왕자, 아니 왕세자가 된 현오성 상무도 알고 있을 것이다.

누나들의 욕심이 대단하다는 걸.

그건 현몽구 회장이 일찍이 대현자동차의 회장이 됐을 때 드러난 일이다.

1999년 1차 왕자의 난 이후 현오성이 앉은 자리를 차지하기 위해 대현가의 독사들이 달려들었는데, 그중 현오성의 누나들도 있었다.

즉, 그에겐 아직 실적이 필요했다.

대현자동차를 물려받을 수 있는 능력을 입증해야 했으니까.

"내년 중반까지 목표 크기로 줄일 수 있겠습니까?"

"왜 그러시는지……."

"줄이기만 하면 활로가 있을 듯합니다."
"예?"
'한상원 사건 때 CCTV 필요성을 언급해 뒀지.'
아직도 국민들의 인식은 크게 바뀌지 않았지만, 그래도 점차 거리에 CCTV가 설치되는 중이다.
작으면서도 예쁘게 생긴 감시 장치.
교통사고 증거로도 쓸 감시 장치.
그게 다른 자동차 브랜드들과 차이점을 만들 것이다.
충분히 어필할 메리트가 있을 듯했다.
'만약 성사만 된다면 백만 대든, 천만 대든 장착할 수 있겠지.'
거부한다고 해도 상관없다.
어차피 블랙박스는 수요가 있을 수밖에 없는 물품이었다. 미래엔 장착하지 않는 게 더 이상한 필수품.
"부탁드리겠습니다. 메모리 용량이 부족하다면 언제든 덮어 쓰거나 삭제할 수 있도록 해 주세요."
그리고 종혁은 상시 녹화 상태를 유지하면서 화질은 차종, 번호판만 확인할 정도면 된다고 말했다.
"음."
"충격감지 센서는 고급형 라인으로 바꾸는 겁니다. 충격을 받는 순간 화질이 선명해지는 거죠."
"……호. 그거 재밌는 말이군요. 알겠습니다. 그렇게 하겠습니다."
정수찬은 어렵게 확보한 충격감지 센서가 사장되지 않

을 것 같아서 기뻤다.

"아, 그리고 화질을 더 높인 CCTV를 만들 수 있을까요? 지금 화질보다 두 배 선명한 정도로?"

"그거야 쉽습니다. 메모리 문제로 화질을 낮춘 것뿐이니까요."

"……정말 수고하셨습니다."

생각했던 것보다 더 뛰어난 기술력이다.

그의 노고가 눈에 보이는 듯했다.

"하하. 아닙니다."

"그러면 부탁드리겠습니다."

종혁은 그러며 핸드폰을 들었다.

"접니다, 권 이사님. 분당 블랙박스팀에 보너스 최대 천 퍼센트 지급 부탁드립니다."

-네. 알았어요, 보스.

종혁은 눈을 부릅뜬 정수찬과 수석 기술자를 보며 씩 웃었다.

"제가 드릴 선물이 이것뿐이네요."

보너스 천 퍼센트.

1년 연봉.

그들은 물 밖으로 나온 붕어처럼 입을 뻐끔거렸다.

* * *

부우웅!

종혁이 모는 승합차가 지방 도시로 향한다.
—종혁아.
차량 핸즈프리에서 애달픈 부름이 울린다.
"안 해요. 안 합니다. 저 좀 쉴게요, 감독님."
—그래도 아시안게임은 준비해야지 않겠니?
"그거 내년입니다."
내년은 2002년 한일 월드컵이다.
한국인에게 가장 주목받지 못하는 아시안게임이 된다.
그렇다고 해도 참가할 테지만 말이다.
—……네 도움을 기다리는 애들이 많다, 종혁아.
"아, 좀! 이젠 국가대표 감독도 아니면서!"
올림픽 유도 국가대표팀도 성공리에 이끈 신성일 감독은 감독직에서 물러나 유도협회 기술 고문이라는 자리를 맡게 됐다.
종혁이 생각한 대로 말이다.
종혁은 그가 협회장이 될 때까지 지원할 생각이었다.
그러나 쉬고도 싶었다.
—얀마! 너 진짜 그러는 거 아니다! 내가 널 어? 쥐면 날아갈까 불면 터질까 어?
"반대예요."
—아무튼! 좀 와! 믿을 사람이 너밖에 없어!
"형들은요? 동익이 형도 있잖아요."
동일고 주장이자, 현재는 체대 4학년이 되는 주장 설동익.
유도 국가대표팀 부주장이다.

—…….

종혁은 싱긋 웃었다.

"끊습니다."

—야! 야!

타악!

"킥킥."

폴더가 거칠게 닫히자 승합차 뒷좌석에서 웃음이 터진다.

서울 가출 청소년 1호 쉼터의 1호 입주 아이들이다.

현석이도 있다.

종혁은 보조석에 구겨 탄 현석과 한선호의 뒤통수를 후렸다.

빡! 빡!

"아, 형!"

"행님!"

"한 번만 더 웃어 봐라, 확 그냥."

"에이."

종혁은 툴툴거리는 둘을 보며 피식 웃었다.

"그런데 너흰 공부 안 하냐? 현석이는 경찰대, 선호 넌 미나토대 컴공과 지원한다며?"

종혁을 따라 동일고에 진학한 것도 모자라 유도부까지 들어간 현석은 경찰대까지 따라올 준비를 하고 있었다.

컴퓨터를 좋아하는 선호는 능력은 빼어나지만, 시험 성적이 부족해서 미나토 대학으로 유학을 갈 준비를 하고 있었다.

"행님 말처럼 방학에는 쉬어야 카는 거 아닙니까!"
"맞아요, 형!"
종혁의 눈이 짜게 식었다.
"너희 내일 모레가 개학이다."
오늘은 3월 1일 삼일절.
모레면 이들이 개학하는 3월 3일이다.
"이틀 십만 원! 용돈으로 최고 아인교! 그것도 모릅니꺼? 하긴 부르조아 된 양반이 뭘 알겠노."
빠아악!
"……아씨! 행님! 대굴빡–!"
"넌 사투리나 똑바로 써. 아주 아버님이랑 똑같네, 진짜."
"와 갑자기 욕을 하고 그랍니꺼?"
현석이 선호의 옆구리를 찔렀다.
"뭐하노, 선호 행님. 닌 말 안 하나?"
"나도 맞으라고?"
"이 배신자가!"
종혁은 아옹다옹 다투는 둘을 무시하며 광주광역시로 향했다.

* * *

수도권을 제외한 지방도시 첫 번째, 두 번째 쉼터는 광주광역시와 부산광역시로 결정되었고, 며칠 전 첫 삽을 떴다.

1호 쉼터로 인해 구원을 받았다 생각한 아이들은 이렇게 먼 곳이라도 달려가 일을 돕기를 자청했다.

2호, 3호…… 7호까지 모두 이들의 손때가 묻었다.

서울, 경기 수도권 쉼터에서 보호받는 아이들도 소매 걷기를 주저하지 않았다.

"와, 여기도 크네."

쉼터가 지어지는 곳은 충장동과 동명동, 계림동이란 곳의 경계였다. 원래는 학군이 좋은 곳에 짓고 싶었는데, 그랬다간 차별받을 게 뻔했기에 그 다음가는 학군 근처에 건물을 세우는 거다.

충장동이 번화가였기에 이쪽으로 선정됐다.

다만 높은 건물이 없어서 처음부터 세우는 중이었다.

'학원가도 근처에 있고.'

"어? 이사장님이시다."

"뭐? 어디? 억! 이사장님-!"

"흘흘. 내 개새끼들 왔는가?"

오리털 점퍼를 입은 권회수가 어슬렁거리며 다가왔다.

아이들은 떨떠름해졌다.

귀여워서 하는 말이란 걸 알지만, 욕 같아서 그랬다.

"오셨는가?"

"잘 계셨어요?"

"어떤가. 이 정도면 크지?"

종혁은 고개를 끄덕였다.

"근처에 공무원 학원가도 있고, 경찰서도 있네. 제법

이름 있는 여고에 남고도 가깝고, 도서관도 가깝지."

"심심할 땐 저기 시내란 곳에서 놀 수도 있고요?"

"흘흘흘."

"역시."

뭘 하더라도 허투루 하는 게 없는 양반이다.

"그런데 번화가라면 달건이도 있을 것 같은데……."

"흘흘."

'있구먼.'

"쓸어버릴까요?"

광주광역시에 아는 사람은 없지만, 광수대처럼 전국이 수사 영역인 특수범죄수사과의 김종두 과장이 있다.

종혁의 눈빛이 서늘해지자 권회수의 눈빛도 싸늘해졌다.

"무얼. 잡초보다 쓸 곳도 없는 놈들 괜히 잘라 냈다가는 더 골치 아파져. 일반인에게 접근하지 않은 지 오래됐다니 놔두시게."

"쩝. 운 좋네."

"그 싸움닭 성질 좀 줄이고."

"하하."

고개를 저은 권회수는 아이들을 찾았다.

그들은 이미 공사장으로 가서 목장갑을 끼고 있었다.

"고놈들. 흘흘흘. 음, 그래. 자네 손님들 오셨구먼."

부우웅. 끽!

권회수가 돌아서고, 그들의 바로 앞에 멈춘 차에서 나탈리아가 내린다.

"최!"

종혁은 그녀와 볼 뽀뽀로 인사를 나눴다.

"어떻습니까? 러시아 자금이 들어간 첫 번째 쉼터입니다."

나탈리아는 종혁과의 원활한 만남을 위해 러시아 정부 이름으로 가출 청소년 쉼터, 행복의 쉼터 재단을 지원하고 있었다.

표면적 이유는 러시아엔 편부모 가정이 많기에, 행복의 쉼터 케어시스템을 배워 러시아에 적용하고자 한다는 것이었다.

어떻게든 지원이 들어오는 것이기에 한국 정부는 적극 찬성했다.

"이곳도 크게 짓는군요. 이곳에서 보호받는 청소년들은 정말 행복하겠어요."

"진짜 행복은 가족과 함께 부족함 없이 단란하게 사는 거죠."

"그건 맞는 말이에요. 우리 러시아 청소년도 그래야 할 텐데……."

"러시아 남자들이 조금만 덜 와일드하다면 그렇게 될 겁니다."

평균 수명이 짧기로 유명한 러시아 남자.

"아하하하하핫!"

수심이 어리던 얼굴에 웃음꽃이 핀다.

그러다.

딱!

그녀가 손가락을 튕기자 종혁은 미간을 찌푸리며 귀를 만졌다.

순간 찌잉 이명이 들렸다.

"앙큼한 참새들이 있어서요."

재밍을 했다는 뜻이다.

종혁의 표정이 굳었다 펴졌다.

"닷컴. 제 예상처럼 되어 가고 있죠?"

나탈리아가 인형 선물을 받은 아이처럼 환하게 웃었다.

"나스닥 80퍼센트 선 붕괴. 이젠 믿을 수 있어요."

'어떻게 이런 걸 예측할 수 있을까.'

경이로움, 그 자체였다.

그녀는 낯빛을 굳혔다.

"그나저나 올림픽이 끝난 지 벌써 반년이네요."

"그렇죠."

안 그래도 내려오며 신성일 감독과 이야기를 나눴기에 조금 더 추억에 젖어 든다.

"이 정도면 올림픽 영웅에 관한 이목도 사라질 때죠."

"음?"

뭔가 의미심장한 말이다.

"일본에서 일을 벌이고 있어요. 정확히는 일본 유도협회가."

종혁의 눈썹이 꿈틀거렸다.

"그래요?"

종혁 본인에 관한 일이 아니라면 나탈리아가 굳이 말할

리 없다.

'하, 새끼들. 고작 몇 번이나 당했다고.'

방콕 아시안게임, 국제 대회 몇 개, 이번 올림픽뿐이다.

"자세한 정보는 더 확인한 후 알려 드릴게요."

"감사합니다."

"뭘요. 친구라면 이 정도는 당연히 해야죠."

뜨끔.

종혁은 나탈리아의 은근한 시선에 고개를 돌렸다.

그들이 설계한 걸 박태규가 몇 번 더 꼬았던 일이 조금 찔렸기 때문이다.

"후후. 아, 이건 상관없는 일이지만 중동에서 무슨 일이 일어날 것 같아요."

"중동?"

뜬금없는 말이었지만, 관심이 갔다.

"알 카에다라는 조직이 있어요. 오사마 빈 라덴이라는 인물이 수장으로 있는 이슬람 수니파의 과격 테러단체죠."

종혁의 몸이 크게 들썩였다.

'오사마 빈 라덴! 911 테러!'

국제무역센터 쌍둥이 빌딩이 무너지는 걸 실시간으로 시청한 종혁으로서는 결코 잊을 수 없는 악몽이다.

"어떻게 보면 미국이 키운 놈들인데……."

'아, 그래서 알게 된 건가.'

미국과 러시아.

악연이다. 앙숙이다.

“아무래도 대규모 테러를 준비하는 것 같아요.”

‘미국이 대상입니다!’

외치고 싶지만 외칠 수가 없다.

“흠. 유전을 차지하려는 걸까요?”

나탈리아는 웃었다.

그녀는 본인이 하고자 하는 말을 종혁이 알아들은 것 같아서 기뻤다.

국제 유가.

테러단체가 유전을 점거하는 순간 국제 유가가 흔들린다.

종혁은 그런 그녀를 보며 생각에 잠겼다.

아니, 잠긴 척했다.

그러다 몇 분이 지난 후 조심스럽게 입을 열었다.

“그런데 의문이 드네요.”

“뭐가요?”

“어찌어찌 유전을 차지한다고 해도 그들이 그걸 오랫동안 지킬 수 있을까요? 단체 대 국가의 싸움인데? 오펙이 개입할 수도 있잖아요.”

석유수출기국 OPEC.

아랍권 석유 국가들이 모여 만든 단체이다.

“미국이나 러시아의 손이 닿은 곳이면 두 국가가 개입하겠죠.”

바보가 아니라면 굳이 제 살 까먹기를 할 수 없다.

자칫 기름을 빼돌리다 조직이 와해될 수도 있다.

“흠. 저희도 그런 결과를 도출하긴 했어요. 하지만…….”

“저도 수니파에 대해 들은 적이 있습니다. 과격파라죠?”

“수니, 시아. 딱히 의미가 없어요. 그래도 좀 더 과격하겠네요.”

“흠. 그럼 이런 테러단체들의 존재 의미는 뭐죠?”

“성전이죠. 세계를 무슬림 세상으로 만들겠다는.”

나탈리아는 미간을 좁혔다.

갑자기 뭔가 떠오를 듯 머릿속이 간질거렸다.

“흠. 그러면 그들은 전사란 소리네요. 자신들이 있음을 세상에 알리고자 하는. 알라란 신을 알리고자 하는. 아, 전사의 탈을 쓴 광신도가 맞는 단어겠네요.”

“……그렇죠.”

“그러기 위해선 강렬한 임팩트, 성공을 해야겠군요.”

“맞아요. 그래서 유전 점거 및 테러를…….”

“그런데 정작 나는 알 카에다라는 이름을 처음 들어요. 전 세계의 일반인들은 더더욱 모르겠죠. 그런데 유전 하나가 날아간다고 해서 그들이 알까요?”

유전이 어디에 있는지도 모르는 사람이 대다수이다.

“……어? 잠깐. 잠깐만요!”

그녀는 머릿속에 떠오르는 최악의 생각에 다급히 종혁의 입을 막으려 했다.

그러나 늦었다.

“만약에, 정말 만약에 이 움직임이 강대국을 대상으로 한 테러라면 어떨까요? 그 정도면 전 세계인에게 각인되지 않을까요? 그들이 정말 과격 테러단체라면, 신을 위해 목숨을 바칠 수 있는 미친 광신도라면."

덜컥!

나탈리아는 경악에 눈을 부릅떴다.

* * *

"……맙소사."

나탈리아는 정신을 차릴 수 없었다.

정보국 내에서도 종혁이 말한 내용이 나왔다.

그러나 비웃음을 당하며 사장됐다. 가능성이 현저하게 떨어지기 때문이다.

파견군이나 대사관, 이민자를 공격할 수는 있다.

그래 봤자 파견군 숫자만 늘 뿐이다. 특수부대나 암살조가 파견되거나.

그런데 그 나라에 직접적으로 테러를 저지른다?

종혁이 방금 말한 단체 대 국가의 싸움이 시작된다.

국가가 총력을 기울여 추적하고 학살한다.

멸망의 지름길.

그래서 묻힌 거다.

하지만 우연에 우연이 겹치면 더 이상 우연이라고 볼 수 없다.

"걸리지 않게 플라스틱 폭탄이나 총을 이용할 거고……."

나탈리아는 심란하게 중얼거리는 종혁을 멍하니 봤다.

"아, 제가 그놈들이라면 어떻게 테러를 할까 생각해 봤습니다."

테러의 테자도 모르는 종혁조차 생각하는 계획.

하지만 그럴싸하다.

무심한 눈빛이기에 더 와닿았다.

"어, 어떻게 할 건가요?"

"나라면 랜드 마크에 폭탄을 터트릴 겁니다. 비행기를 납치해서 박아 버리거나."

"어째서?!"

"그래야 다 알 테니까요."

……오싹!

태연하게 중얼거려서 더 섬뜩하다.

종혁이 말한 대로 이뤄진다고 생각하니 오한이 드는 그녀였다.

'막을 수 있을까?'

인질을 잡고 협박한다면 막을 수 있다.

그러나 자살 특공을 한다면 막을 수 없다.

사전에 제거하지 않는 이상.

"최가 내 친구가 아니었다면 난 당신을 훌륭한 테러리스트로 생각하고 구속했을 거예요."

"하하하하하."

"웃지 마요."

종혁은 웃음은 삼켰지만, 미소는 거두지 않았다.

"휴. 최라면 어떤 국가를 선택할 건가요?"

"음. 아무래도 미국이겠죠. 세계 경찰로 불리는 데다가 부자고 중동에도 장난을 치니까요. 타격할 만한 랜드 마크도 많고."

결정적으로 그들의 아지트가 있는 국가까지 거쳐야 하는 나라가 많다.

"러시아, 영국, 프랑스 등도 무시할 순 없죠. 제 생각대로라면 선진국 중 어느 나라가 타깃이 돼도 이상하지 않아요. 아, 이스라엘도 있겠네요."

나탈리아는 고개를 끄덕였다.

'미국.'

가능성이 있다.

아니, 지금 커졌다.

아무리 테러리스트라도 그런 미친 짓을 저지를 수 있을까 싶지만, 테러리스트기에 저지를 수 있다.

상식으로 판단하면 안 되는 놈들이다.

'잘하면 막대한 빚을 지울 수 있겠어.'

그녀의 눈이 날카롭게 빛났다.

종혁은 그런 그녀를 보며 혀를 찼다.

'이제 내가 할 수 있는 건 다했어.'

더 이상은 개입할 수 없다.

개입해서도 안 된다.

아직은 전면에 드러나면 안 된다.

남은 건 부디 미국이 잘 대처해 주는 것뿐이다.

'부디 막아 내길.'

9.11 그날의 비명을 듣지 않길 바랐다.

* * *

삐익!

온갖 기기가 있는 승합차 안.

사십대 중년인이 헤드셋을 벗어던졌다.

"악!"

"재밍인 것 같습니다, 팀장님."

"나도 알거든!"

혀를 찬 그는 모니터를 봤다.

나탈리아가 흐릿하게 투영되고 있었다.

중년인은 그 옆의 종혁을 봤다.

"어떻게 됐어?"

"아무리 훑어도 깨끗합니다."

나탈리아와 종혁 간의 관계.

그 나탈리아가 왜 하필이면 금메달리스트를 만날까.

그것도 제법 자주라고 할 수 있게.

그는 그게 의문이었다.

"권&박 홀딩스와도?"

대한민국 권력자들의 사설 금고인 권&박 홀딩스.

"권아영 이사가 친구 이모란 것을 제외하면……."

"박태규 이사도 구했지."

사채업자의 손에서 구했다.

"합의금으로 받은 1억도 투자했습니다."

반지하에서 살던 종혁에게 생겨난 1억.

그 역학조사는 이미 마쳤다.

일진들과의 싸움으로 얻은 합의금이다.

"당시 1억은 권아영과 박태규 둘에게도 큰돈이었습니다."

안다.

권아영의 아비인 권회수가 돈을 빌려주기 전까지 둘은 대략 3억의 자금만 운영했을 뿐이다.

그 자금을 바탕으로 IMF, 러시아 모라토리엄, 에콰도르 사태 등을 예측하며 무섭도록 날아올랐지만, 지금은 수많은 투자 실패로 추락하여 겨우 명맥만 이어 가는 중이었다.

그래도 수익률은 다른 증권사들보다 더 높지만, 배포가 현저히 작아졌다.

국정원은 러시아가 설계하고 박태규가 마무리 지은 작품을 그렇게 판단했다.

아무튼 종혁은 권&박 홀딩스의 초창기 투자자.

거의 개국공신이다.

아르바이트로 그들의 일을 몇 번 도운 적도 있다.

대표적인 게 이치로 교수의 통역.

이런 이유들이 있기에 종혁이 권아영, 박태규와 자주 연락하는 건 충분히 이해할 수 있다.

'권아영과 박태규도 다른 투자자들보다 더 챙기는 것 같고.'

종혁, 아니, 고정숙의 명의로 된 빌딩이 무려 네 채다.

70퍼센트는 은행 돈이지만.

"권회수와는?"

직원은 고개를 저었다.

"행복의 쉼터 재단 투자를 제외하면 교차점이 없습니다."

권회수를 앞세워 한국의 지하 금융계를 차지하겠다는 정보부 내 예측도 폐기다.

쿵!

"그럼 왜 소련이 한국 날라리들을 위해 투자를 하냐고!"

"저 시스템을 자국에 도입하기 위해?"

"넌 그걸 믿냐! 저 여자가 그냥 요원인 줄 알아?!"

냉전 시기 막바지에 13살 어린 나이로 데뷔, 맹활약한 전설이다.

미국도 나탈리아 때문에 몇 번이나 물을 먹었다.

'모르는데요…….'

직원은 입 밖으로 말을 냈다가는 정강이를 걷어차일 것 같아서 입을 다물었다.

하지만.

"어? 어어?"

"왜?"

"나, 나탈리아가 저희 쪽으로……."

그렇게 말한 순간 그녀가 차 앞에 도착했다.

통통통!

"……니미."

팀장은 승합차 뒷문을 열었다.

“처음 뵙겠습니다, 마담.”

“우리나라 말을 할 줄 아는군요?”

“뭐. 하하.”

‘그럼 러시아 요원 감시하는데 러시아어 못 하는 사람을 붙일까.’

“그런데 보다시피 누추한 곳이라 차는 대접해 드리지 못할 것 같습니다만.”

“괜찮아요. 보니까 카페가 많더라고요.”

‘니기미.’

팀장은 몸에 힘을 뺐다.

싱긋 웃은 그녀는 핸드폰을 들었다.

“세르게이? 독수리들도 초대해.”

‘독수리? CIA?!’

잠시 후, 광주 시내의 한 카페에 러시아, 미국, 한국의 정보국 요원들이 모였다.

나탈리아는 불편해하는 둘을 보며 느긋이 커피를 마셨다.

“CIA가 언제부터 겁쟁이가 된 건지 모르겠네.”

동양계 남성이 싱긋 웃었다.

“팀장님은 소중한 인재라서 말입니다.”

‘팀장급이 움직였어? 하긴 팀장이 움직일 만한 여자지.’

국정원 팀장은 이해했다.

이 여자 앞에서 함부로 모습을 드러냈다간 언제 암살을

당할지 모른다. CIA는 백 퍼센트다.

'제발 총만 쓰지 마라!'

대한민국은 징병 국가이다.

인구 절반이 남성이고, 그중 이십대 이상은 모두 군대에 다녀왔다. 총 쏘는 소리 정도는 구분할 수 있다.

국정원 팀장은 머리를 벅벅 긁었다.

"됐고. 단도직입적으로 물읍시다."

"알고 있는 이유로 부족하나요?"

"정말 그 말을 믿으라고요?"

CIA 요원도 고개를 끄덕였다.

"믿기지 않겠지만, 러시아의 편모 가정 문제가 심각해요. 무책임하게 애만 싸지르고 튀어 버리는 빌어먹을 놈들이 많거든요. 다른 곳이든 저세상이든. 그에 대통령께서 대책을 마련하라 명령을 하셨어요."

"그것 때문에 당신이 움직였다고요?"

"전 이제 사무직이에요, 팀장."

웃기지도 않는 말이다.

"그럼 이제 고국으로 돌아가시겠군요. 배울 만큼 배웠으니."

"내가 갈 곳은 내가 정한답니다."

'거봐! 속셈이 있잖아!'

국정원 팀장은 손가락질이라도 하고 싶었다.

"예. 그렇게 하세요. 난 최 선수 털어 볼 테니까. 먼저 갑니다. 아, 당신네들 나라 아니니까 분란 일으킬 생각 마쇼."

"……잠깐."

'그렇지!'

"휴. 곤란하네요."

"뭡니까?"

"……최종혁 씨는 상부에서 주목하는 선수예요."

국정원 팀장은 머리가 아팠다.

그러다 번뜩 드는 생각이 있었다.

"설마 이민?"

그래도 말이 안 된다.

그러기에는 나탈리아의 급이 너무 높다.

"풋. 역시 한국은 그의 가치에 대해 제대로 모르고 있네요."

"……."

'뭐야? 뭔데?! 우리가 모르는 가치가 뭔데?!'

"유도 국가대표 훈련 커리큘럼을 그가 만들었죠."

"……그래서?"

"거봐. 모르잖아. 이런 나라에서 왜 그런 인재들이 나오는지."

나탈리아는 일어섰다.

더 이상 할 이야기가 없었다.

"최종혁 씨는 곧 경찰 간부가 될 인재입니다! 그가 나라를 배신할 것 같습니까!"

나탈리아는 배를 잡고 웃었다.

국정원 팀장은 이를 악물었다.

그녀는 곧 차갑게 웃었다.

"그래서요?"

"……?"

"그가 애국심이 짙건 말건 무슨 상관인데요?"

"지금 무슨 말을……."

"우린 러시아예요."

"……!"

또각또각!

국정원 팀장은 도도히 걸어 나가는 나탈리아를 보며 이를 갈다 CIA 요원을 봤다.

"그쪽도 같은 이유입니까?"

CIA 요원은 혀를 찼다.

"전설이 입이 가볍네."

그는 커피를 원샷하고 일어섰다.

"잘 마시고 갑니다."

그마저 떠나자 국정원 팀장은 울컥한 마음을 누르며 생각에 잠겼다.

"최 선수의 가치가 저 여자를 보낼 정도라고?"

나탈리아가 낚아챈 인재가 얼마나 많던가.

그중엔 유명 핵물리학자나 레이더 설계자도 있었다.

종혁의 가치가 그 정도라는 소리이다.

거기다 CIA까지 눈독을 들이고 있다.

다른 나라는 이렇게 침을 흘릴 정도인데, 정작 한국은 몰랐다는 것에 자괴감이 든 그는 핸드폰을 들었다.

"최 선수가 유도 국대를 어떻게 훈련시켰는지 싹 알아와. 당장!"

그렇게 종혁의 진짜 정체는 숨겨지게 되었다.

한편, 차에 오른 나탈리아는 핸드폰을 들었다.

"나야. 지금 러시아로 출발할 테니, 출국 준비해 놔."

나탈리아는 한숨을 내쉬었다.

앞으로 바빠질 걸 생각하니 한숨밖에 안 나왔다.

그러다 피식 웃었다.

"속아 주려나."

* * *

"종혁아. 너 뭔 사고 쳤냐?"

"종혁아. 국정원에서 우리 훈련 자료에 대해 싹 다 긁어 가던데?"

종혁아.

종혁아.

나탈리아와 만난 이후 신성일부터 시작해 유도 국가대표들뿐만 아니라 협회에서도 연락이 왔다.

그러다 결국 국정원 요원까지 만나게 됐다.

무려 팀장이었다.

"최종혁 생도. 조국을 버리지 말아 주십시오."

"……예?"

처음 국정원에서 연락이 왔을 때, 모든 게 들켰나 싶었다.

하지만 돌아가는 상황이나 단어 선택을 보니 아니었다.

'그럼 뭐야?'

집 근처의 카페, 종혁은 커피를 마시며 생각에 잠겼다.

"갑자기 이런 말부터 하니 놀라셨을 거라 생각합니다."

"당황스럽지 않다면 거짓말이겠죠."

"충고를 하기 위해섭니다."

"충고요?"

"주한 러시아 대사관 2급 서기관 안젤리나 마카로프에 대해 아십니까?"

움찔!

종혁은 눈을 가늘게 떴다.

"러시아가 편부모 가정 및 가출 청소년을 돕기 위해 행복의 쉼터 케어시스템을 필요로 하고, 또 지원도 해 주기에 좋은 관계를 맺고 있습니다. 마카로프 씨는 그 담당자시고요."

"그 여자를 조심하십시오."

"예?"

"의도가 순수한 여자가 아닙니다."

"……지금 불쾌해하면 되는 겁니까?"

종혁의 표정이 딱딱하게 굳자 팀장은 가슴을 쳤다.

"그 여자는 최종혁 생도를 러시아로 귀화시키기 위해서 접근한 겁니다!"

자료와 데이터를 모두 분석한 결과는 경악스러웠다.

태릉에서 겨우 몇 개월 종혁의 손을 거치는 순간, 선수

기량이 최소 20퍼센트 이상씩 발전했다.

전문가는 최첨단 스포츠 과학의 정수, 아니, 최소 20년은 앞선 오버 테크놀러지라고 말할 정도였다.

몇 개월 만에 기량이 20퍼센트 상승한다?

비단 선수뿐만 아니라 군인도 그렇게 된다면?

그녀가 나설 만했다.

더욱이 종혁 본인의 기량도 엄청나다.

흔히 3대 운동이라 말하는 근력 운동의 총합이 900kg 이상.

스쳐도 골로 가는 괴물이다.

그런데 조사해 보니 그 정도 무게를 드는 사람들은 대부분 눈살이 찌푸려질 만큼 근육 괴물이라 종혁도 그래야 하는데.

'레슬링의 신권호 선수가 3대 500이라고 했지.'

거기에 비추어 보면 종혁의 몸이 약물 중독 근육 괴물이 아닌 것도 이해할 수 있다.

내추럴의 극한이었다.

"아…… 그거."

"그거?"

"알고 있습니다만?"

나탈리아가 알려 줬다.

"예?"

"처음 접근하셨을 때 말하더군요. 귀화할 생각 없냐고."

"그, 그럼?"

종혁은 입고 있는 경찰 정복을 가리켰다.

"이유가 됐습니까?"

"그럼 왜……."

"제가 은퇴한 이후를 생각해 달라 하더군요. 경찰까지 은퇴한 이후를."

"아니! 최 생도가 한국에 어떤 보물인데 그런 수작을! ……넘어가신 건 아니죠?"

"그런 말은 선수들 대우나 제대로 해 주시고 하시죠?"

"……큼."

"협회에 비리가 넘치는데도 조사 안 하고."

"어흠흠."

"가출 청소년 쉼터 지원도 제대로 안 해 주고."

"그건 저희 소관이 아니라서……."

"……국정원 지원하지 않기를 잘했네."

팀장의 얼굴이 붉어졌다.

"더 하실 말씀이 없는 것 같은데 이만 일어나도 되겠습니까? 곧 약속 시간이라."

"한국은 최종혁 생도를 낳은 나라란 걸 기억해 주십시오."

"절 낳고 키운 건 어머니입니다."

콧방귀를 뀐 종혁은 카페를 빠져나갔고, 팀장은 혀를 찼다.

"요새 애들은 애국심이 없어요. 애국심이…… 그건 아니지만, 에이."

그래도 귀화할 생각이 없는 걸 확인했다.

그걸로 된 거다.

"하. 우리 국정원도 그 훈련법을 접목하면 좋으련만……."

육체적 기량만 늘어도 작전을 더욱 원활히 수행할 수 있다.

그러나 윗선에서 반대를 했다.

종혁의 나이가 너무 어리다는 이유였다.

"그놈의 꼰대들 진짜."

하지만.

"해야지."

요원들의 기량을 늘릴 수 있다.

어떻게든 상부를 설득해야 했다.

무조건.

'안 되면 대통령님을 끌어들여서라도!'

눈빛을 굳힌 그는 커피를 들이켜고는 일어섰다.

한편, 카페를 나선 종혁은 가슴을 쓸어내렸다.

언젠가는 닥치지 않을까 생각했던 상황.

다행히 잘 풀렸다.

'이제 웬만한 실수를 하지 않으면 날 의심하지 못하겠네.'

종혁의 입가에 미소가 번졌다.

띠리링! 띠리링!

핸드폰이 최신 유행곡의 원음벨 소리를 낸다.

"네. 최종혁입니다."

-어디야? 왜 안 와? 너 약속 안 지키고 그런 놈이었어?

동기의 전화다.

종혁은 피식 웃었다.

"허쭈? 제자 따위가 스승을 재촉하네? 그래도 돼?"

—……아니요. 사랑합니다. 스승님.

"오냐. 곧 가겠다."

—얼른 오시지요.

낄낄 웃은 종혁은 동기들이 있는 피트니스 센터로 향했다.

그는 동기들에게도 운동을 가르치는 중이었다.

성적도 성적이지만, 훗날 현장에 나갔을 때 조금이라도 덜 다치도록 말이다.

그가 걸어가는 화창한 봄날의 하늘은 무척이나 맑았다.

* * *

마치 호텔을 연상케 하듯 벽과 바닥이 상아색 인조 대리석으로 고급스럽게 인테리어된 피트니스 센터.

점심시간 이후라서 그런지 제법 조용하다.

"이런 곳은 또 어떻게 알았데?"

4백 평 너비의 센터 안에는 러닝 머신만 육십대가 넘게 있고, 최신식 기구도 꽤 보인다.

동기들이 적극 추천한 이유가 있었다.

하지만 마무리가 부족하다.

기구 배치가 어설퍼서 동선이 좀 지저분하고, 사용자의 관절 보호를 위한 매트가 없다.

고급 호텔 피트니스 센터를 어설프게 따라 한 느낌이다.

"그래도 이 정도면 운동할 맛이 나지."

'옮길까?'

안 그래도 만날 동기들과 운동하다 혼자 운동하려니 좀 심심했던 종혁은 진지하게 고민하며 동기들을 찾았다.

"흠."

미간을 좁힌 그는 걸음을 옮겼다.

"개인 PT를 받으시면 금방 예쁜 몸을 만들 수 있다니까요."

"아, 글쎄 그런 거 필요 없다니까요!"

열 명의 동기들이 제법 몸이 좋은 트레이너와 싸우고 있다.

대충 상황이 짐작 갔지만, 그는 모른 척 입을 열었다.

"뭐야. 무슨 일인데."

"종혁아!"

종혁은 트레이너를 보며 가슴을 폈다.

"무슨 일이십니까?"

키가 크고 체격이 너무 다부진 종혁.

이건 또 뭐야, 생각하던 트레이너는 슬그머니 시선을 돌렸다.

"큼. PT라는 좋은 것이 있기에 권해 드렸을 뿐입니다."

"PT요?"

'저 몸을 보고?'

1학기 초반부터 관리해 준 몸들이다.

조형미까지 생각하며 세심하게 다듬었기에 다들 소위 말하는 몸짱이다.

여자 동기들도 3대 170은 거뜬히 든다.

"다들 몸이 좋기는 한데 이상한 곳에서 배웠는지 라인이 이상해서요. 저희 트레이너들이 이런 건 또 못 참거든요."

'사짜구나.'

생각해 보면 이 시기 전문 트레이너가 있는 게 더 이상했다.

거기다 몸에서도 묘하게 이상한 냄새가 나고, 이십대 후반으로 보이는데도 벌써 탈모 증상이 보인다.

'약물까지 쓰네. 흠.'

종혁은 파 볼까 하다가 그만뒀다.

"괜찮습니다. 저흰 저희들끼리 운동할게요."

동기들과 기분 좋게 운동하러 온 길이다.

괜히 분란을 일으키고 싶지 않았다.

움칫!

"하. 진짜 다듬어야 하는데……."

트레이너는 안타까워하며 물러섰고, 동기들은 종혁을 봤다.

"저 헛소리를 믿는 건 아니지?"

"아니?"

"그럴 리가!"

국가대표를 가르치는 종혁이다.

몸은 예쁘기도 해야 된다면서 매일 지옥을 겪게 해 주는 악마.

"그래?"

역시 허투루 가르치지 않았군, 하며 흡족해한 종혁은 러닝 머신을 가리켰다.

"그럼 뛰어."

와락!

얼굴이 구겨진 남녀 동기들이 러닝 머신 위로 올랐다.

* * *

러닝 머신으로 땀을 쭉 뺀 후 스트레칭으로 젖산을 풀며 몸을 달군다. 이렇게 두 시간 운동하면 문어, 낙지, 오징어와 동급이 된다.

그런 다음은 하체 조지기다.

"자세! 자세! 어쭈? 허리를 숙여? 허리를 뽀샤 버릴라!"

"야, 이 악마야!"

"오른발에 힘 안 주지? 짝궁댕이 될래?"

"그거 성추행이야!"

그들은 구르며 생각했다.

'내가 왜 이 악마를 불렀을까!'

없으니 아쉬워서 불렀는데, 있으니 지옥이다.

'다른 동기들처럼 고향에 내려갈걸!'

이 악의 구렁텅이에서 빠져나간 동기들이 부러웠다.
"그렇게 하는 거 아닌데……."
물러섰던 트레이너가 주위를 맴돈다.
무시한 종혁은 여자 동기들에게 다가갔다.
"어? 무게 늘리게?"
"슬슬 때가 됐으니까. 이번 방학 끝날 때까지 250 찍자."
급격하게 무게를 올리면 몸이 망가지기에 250이다.
그러나 여자 동기들의 얼굴이 하얗게 질렸다.
"그, 그러면 너무 우락부락해지지 않을까?"
"응. 응! 터, 터미네이터처럼."
그녀들은 다급했다.
종혁이 말하는 3대 몇 백은 꼴랑 하나 측정하고 마는 게 아니다. 그 무게로 최소 한 세트 12개씩 5세트를 해야 된다.
"아, 그러세요?"
종혁은 한심하게 쳐다봤다.
경찰이 범인을 검거하는데 힘에서 밀린다?
그것도 간부가?
바로 진급 누락에, 신문 1면이다.
"미쳤냐?"
"……알았어. 할게. 하면 되잖아."
그녀들은 울상을 지으며 바벨 앞에 자세를 잡았다.
"하, 진짜 그렇게 하는 거 아닌데."
종혁은 미간을 구겼다.

"다들 기구 내려놔. 가자."

"응? 벌써?"

종혁과 어울려서 그런지 하루 최소 4시간 운동하지 않으면 몸이 찌뿌둥한 레벨에 도달한 그들이다.

"찜질방에서 몸이나 지지자."

"오. 웬일? 너 운동 후에 사우나 못 하게 하잖아."

운동 후 바로 사우나를 하면 몸에 안 좋다.

"그러니 마사지부터 받아야지. 아, 너희 한 달로 끊었어?"

"그런데? 오늘 끊었어."

"환불해. 나 아는 곳 있어."

놀란 동기들은 종혁의 뒤에 있는 트레이너를 보곤 고개를 끄덕였다. 그들도 트레이너의 말이 무척이나 거슬렸던 탓이다.

"오케이."

"그럴게. 운동은 편하게 해야지."

트레이너의 얼굴이 하얗게 질렸다.

"자, 잠깐! 잠깐만요!"

종혁은 팔을 잡은 트레이너를 뚱하게 쳐다봤다.

"왜요?"

"지금 이게 뭐 하는 짓입니까?!"

'짓?'

"센터가 마음에 안 들어서 환불하는 건데요. 왜요?"

"지금 그걸 말이라고!"

트레이너는 다급해졌다.

자신 때문에 환불 사태가 벌어졌다?

죽는다.

“소비자의 정당한 권리입니다.”

“이 사람이 지금! 그렇게 하면 난 어쩌라고!”

종혁과 동기들의 미간이 좁혀졌다.

“그게 우리랑 무슨 상관인지 모르…….”

“무슨 일이야? 뭐가 이렇게 시끄러워?”

어슬렁거리며 다가오는 대머리의 사십대 장년인.

팔뚝이 여자 허벅지만 하다.

‘여기도 스테로이드네.’

내추럴로는 절대 만들 수 없는 근육이다.

“전무 최경석입니다. 무슨 일이십니까?”

종혁은 이젠 파랗게 질리는 트레이너를 무시하며 안경 속 작은 눈을 응시했다.

“여기 트레이너분이 너무 PT를 강요하셔서요. 환불하려고요. 오늘 등록했으니까 가능하죠? 기구 이용했으니 하루 이용료는 내겠습니다.”

“아, 그래요…… 환불. 다시 생각해 보시는 게 어떻습니까? 어디 가도 저희만 한 곳 찾기 힘들어요.”

“그건 아는데 마음이 떠서요. 미안합니다.”

종혁은 단호했다.

“미안하다라…… 음, 그럼 어쩔 수 없겠네요.”

고개를 끄덕이던 전무의 얼굴이 확 구겨졌다.

그리고 돌연 손을 들었다.

빠아악!
"크?!"
"야, 이 새끼야! 내가 함부로 PT 강요하지 말랬지!"
빡! 빡!
"악! 죄, 죄송 악! 하, 하지만 전무님이!"
솥뚜껑만 한 손이 트레이너를 때리고 발로 걷어찬다.
"이 씨발놈이 어디서 변명을!"
센터의 공기가 삽시간에 살벌해졌다.
주위 트레이너들도 모른 척 고개를 돌린다.
비웃는 이도 있다.
이런 상황이 익숙하다는 증거이다.
'이거 봐라?'
종혁의 눈이 삐딱해지고 종혁의 동기들은 당황했다.
지이익!
전무는 트레이닝복 저지 지퍼를 내리며 고개를 숙였다.
"아, 이거 죄송합니다. 이놈이 온 지 얼마 안 된지라."
'얼씨구?'
종혁과 같은 것을 본 동기들의 얼굴도 굳는다.
민소매를 뚫고 나온 용 문신이 그들의 망막에 맺힌다.
"그런데 어쩌죠? 저희는 환불 같은 거 없는데."
웃고 있지만, 흉악하게 일그러진 눈이 '그냥 가라'라고 말하고 있다.
종혁은 어이없다는 듯 웃었다.
동기들도 마찬가지였다.

"와. 기분 좋게 운동하러 왔다가 별 거지 같은 꼴을 다 겪네."

전무의 눈살이 꿈틀거린다.

"어이, 양아치."

"야, 양아치? 허, 어린 친구가……."

"양아치 소리 듣기 싫으면 양아치 짓거리는 하지 말아야지."

"……뭐?"

"햐, 세상 많이 좋아졌어. 달건이가 헬스장을 다 차리고."

생각해 보니 이맘때쯤이었다.

유흥 업소나 오락실, 주류 사업으로 만족하지 못한 조폭들이 여러 가지 사업에 손을 뻗기 시작한 시기가 말이다.

"쩐주를 고상한 놈으로 물었나 봐? 호텔 사업을 하시던 양반인가?"

아니면 이렇게 고급스럽게 꾸밀 수 없다.

"허허. 어린 친구들이라 그냥 말로 하려 했더니…… 지랄 염병 났네."

안경을 벗은 전무가 종혁에게 고개를 내밀었다.

"내가 네 친구냐, 씨벌놈아?"

웬만한 사람이면 공포에 질릴 흉악한 인상과 말투.

그러나.

피식!

"똥내 나는 아가리 치우시고……."

손으로 코를 잡으며 고개를 돌린 종혁은 자신을 보는

사람들 중 누군가를 발견하곤 눈을 동그랗게 떴다.

그는 재빨리 자세를 잡으며 거수경례를 했다.

"간부후보생도 최종혁!"

"……?"

모두가 의아해하며 종혁이 인사하는 곳을 봤다.

약간 떨어진 곳에서 이쪽을 보던, 안경 낀 오십대의 장년인이 입맛을 다시며 아쉬워하자 그들은 더 의아해했다.

종혁은 재빨리 말했다.

"차기 학장님이시다."

학장. 치안정감이다.

"헉! 간부후보생도 이은미!"

"성칠현!"

동기들도 다급히 거수경례했다.

최기룡이 입맛을 다시며 다가왔다.

"크. 역시 우리 최씨. 관찰력이 남달라!"

"여기서 운동하시는지 몰랐습니다."

종혁은 이 놀라운 우연에 혀를 내둘렀다.

최기룡이 눈을 가늘게 떴다.

'……아니겠지.'

겨우 생도가 경찰 요직의 일거수일투족을 쫓아다니는 기회주의적이고 정치적인 행동을 할 리가 없었다.

"꽤 됐네. 여기 전 사장이 아는 지인이거든."

오늘은 비번이라서 일찍 온 거다.

"아, 그러십니까? 몰랐습니다."

"두 달 전에 다른 사람에 넘기고 귀농했어. 그게……."
이자들인 것 같았다.
가격이 좀 올랐지만 인테리어를 고급스럽게 바꿔서 계속 이용했는데, 이젠 그럴 수 없을 것 같았다.
"무슨 일인가?"
최기룡이 슬그머니 지퍼를 올리는 전무를 봤다.
종혁도 전무를 삐딱하게 보며 입을 열었다.
"소비자의 권리로 환불을 하려는데 작은 마찰이 있었습니다."
"내가 본 건 마찰 정도가 아닌 것 같던데……."
"예. 협박을 하기에 신고를 할 생각이었습니다."
"협박 하나로?"
최기룡의 눈빛이 마치 평가를 하듯 매섭게 빛난다.
"아닙니다. 이 사람, 조직 생활을 한 것 같습니다. 문신이 크게 있고 그걸로 협박을 했습니다. 그 모습이 제법 능숙했기에 다른 피해자가 없는지도 알아봐야 합니다."
"호."
정답이다.
최기룡은 고개를 주억거렸다.
"무, 무슨……!"
같은 범죄를 저질러도 조폭이라면 가중처벌이다.
"이 사람들이 생사람 잡네! 너희가 뭔데 그러는데?! 어?!"
"경찰."
"……예?"

"왜? 배지 보여 드려?"
사나운 최기룡의 눈빛에 전무는 입을 꾹 다물었다.
종혁은 그런 그를 보며 코웃음 쳤다.
"그리고……."
"그리고?"
"음. 아닙니다. 이건 아직 정황이기에 확실해지면 말하겠습니다."
최기룡의 눈이 다시 빛났다.
아무리 상사라지만, 확실하지 않은 건 말하지 않는다.
경찰로서의 기본 덕목이다.
최기룡은 슬쩍 문제를 던졌다.
"자네가 조사하려고?"
이는 시험이다.
종혁이 천지 분간을 못 하고 날뛰는 망아지인지, 아니면 냉철한 이성을 탑재한 인재인지를 확인하기 위한.
"아닙니다. 그럴 수도 없고, 그래서도 안 됩니다."
"왜?"
"전 아직 경찰이 아니기 때문입니다."
의외의 말.
동기들이 놀란 눈으로 종혁을 보았다.
하지만.
"으하핫! 그렇지! 자넨 아직 경찰이 아니지!"
종혁은 이번에도 정답을 말했다.
"그렇습니다."

최기룡은 덤덤한 표정의 종혁을 재밌다는 듯 보았다.

'이거 재밌는 놈일세?'

정의감을 키워 가고 취하는 이 시기에 선을 안다는 건 대단한 일이다.

실제로 벌써부터 경찰이 된 느낌에 경찰처럼 행동해서 퇴교당하는 생도가 매해 꾸준히 있을 정도고, 또 여러 사건을 해결한 경험이 있는 종혁이기에 그 자제력이 크게 다가온다.

2년 전부터 전국에서 가장 실적이 좋은 특수범죄수사과에 정보를 제공한다는 헛소문이 있을 만큼 현직 형사들과 밀접하기에 더욱더.

'지켜볼 가치가 있겠어.'

그가 만들려는 경찰엔 이런 영리한 인재가 필요하다.

종혁이 해결한 사건들을 보면, 들이박을 때는 또 들이박는다. 그래서 더 지켜볼 가치가 있었다.

"도와줄까?"

"괜찮습니다. 이런 일에 차장님께서 수고하실 필요는 없습니다."

"……그래. 알았어. 그러면 새 학기에 보지."

"예!"

종혁은 다시 거수경례를 했고, 인사를 받은 최기룡은 탈의실로 향했다.

종혁은 어리벙벙한 동기들을 보았다.

"애들아."

"응? 왜?"

"관장실과…… 아니, 사무실은 다 틀어막아. 증거인멸 못하게."

"……?!"

순간 동기들의 눈빛이 돌변했다.

"오케이!"

"크- 드디어 경찰다운 일을 하는구먼. 역시 종혁이가 근처에 있어야 한다니까! 가자!"

동기들이 뛰어가자 전무가 펄쩍 뛰었다.

"무, 무슨! 니들이 뭔 자격으로 막아! 이, 이거 영업 방해야!"

"어, 아니야. 이 상황에서는 성립 안 돼."

용의자가 증거를 인멸할 정황이 포착된다면 누가 막아도 영업 방해가 성립 안 된다.

혹여 성립된다고 해도 자신들의 경찰대 생활에 털끝만큼도 지장이 없다.

"그러니 경찰 올 때까지 대기하고 있어."

철렁.

순간 전무의 눈앞이 아득해졌다.

'여, 여기에 돈이 얼마가 들어갔는데!'

그것도 그 본인의 돈이 아니다.

"이런 씨발! 비켜-!"

"아. 쟤들 몸에 손끝 하나라도 댔다간 폭행죄 추가다."

움찔!

"……대체 왜 이러시는 겁니까. 경찰도 아니라면서요."

종혁은 피해자처럼 구는 그를 보며 코웃음 쳤다.

"그러게 환불해 달랄 때 환불해 줬어야지."

그러면 이런 상황까지 안 왔다.

자업자득이었다.

종혁은 신고를 하기 위해 핸드폰을 들었다.

* * *

"어떻게 됐어?"

결과가 나온 날, 동기들이 눈을 빛내자 종혁은 혀를 찼다.

경찰이 조사한 결과 종혁과 비슷한 사례들이 많았고, 결국 영업정지 15일과 벌금형을 받게 됐다.

협박이 피해자와 합의를 보는 걸로 끝났기 때문이다.

"뭐?! 겨우?!"

"이런 씨! 누가 봐준 거 아니야?"

"설마 그러려고."

"와, 나라 꼴 잘 돌아간다. 조폭인 게 뻔히 보였는데!"

'뻔히 보이는 게 아니라 맞아.'

김종두 과장에게 알아본 결과 조폭의 자금줄이 맞았다.

조폭과 일반인이 자금을 합작하여 만든 센터.

일반인이 얽혀 있기에 경찰도 건드리기 힘든데, 이는 조폭들이 흔히 쓰는 수법이다.

"종혁아. 이대로 둘 거야?!"

종혁은 펄쩍펄쩍 뛰는 동기들을 보며 입술을 비틀었다.

'그럴 리가.'

경찰 간부후보생도라고 밝혔음에도 영업정지 같은 시정 명령만 나왔다.

구린 냄새가 났다.

'차장님도 아는 사건이라고 밝힐 걸 그랬나?'

그러면 조금 더 명확하게 밝혀졌을지도 모른다.

하지만 이젠 늦었다.

이건 종혁 본인의 실책이 맞았다.

'끝까지 챙겨야 했어.'

그러니.

"종혁아!"

"이미 판결이 난 상황이니 어쩔 수 없어. 일사부재리 알지?"

"……씨앙!"

땅을 찬 동기들이 운동하러 흩어지자 종혁은 핸드폰을 들었다.

"나예요, 권 이사. 우리 헬스장 하나 차립시다."

–예?

"위치는……."

7장. 싫은데?

싫은데?

"흐랏챠! 흐앗!"

대머리 최경석이 바벨을 부숴 버릴 듯 격하게 움직인다.

"개새끼! 씨발 새끼!"

하마터면 업장을 다른 간부에게 내줄 뻔했다.

그것도 경찰이 되지 못한 애송이 한 놈 때문에.

합의를 하며 무마한 지 벌써 한 달이 지났건만 아직도 그때만 생각만 하면 열이 솟는다.

—한 번만 봐주는 거다. 이제 사고 치면…… 알지?

"씨발!"

터어엉!

바벨을 던지듯 내려놓은 그는 크게 외쳤다.

"김 양—! 음료수 가져와!"

"네, 네!"

탱크톱을 입은 여성이 말총머리를 흩날리며 달려왔다.

"여, 여기 있어요!"

신경질적으로 음료를 들이켜던 전무는 김 양의 엉덩이를 힐끔 보았다. 달라붙는 운동복 때문인지 엉덩이 라인이 여실히 드러난다. 최 전무는 그녀의 엉덩이를 콱 움켜쥐었다.

펄떡!

"고마워. 역시 나 챙겨 주는 건 김 양밖에 없다. 오빠가 명품 백 하나 사 줄까?"

오들오들.

"아, 아뇨. 그, 그럼 전 이만."

최 전무는 도망치듯 떠나는 김 양의 엉덩이를 뚫어지게 쳐다봤다.

"하, 고년. 언제 날 잡아서 공사 들어가야 하는데."

하지만 조직과 동업한 회장님의 지인이 데려온 여자다.

건드렸다간 큰일 난다.

거기다 얼마 전부터 공을 들이고 있는 박 양이 삐진 얼굴로 고개를 돌린다.

'쓰벌, 이놈의 습관!'

그에 짜증이 난 그는 괜스레 애먼 화를 냈다.

"야! 왜 그것밖에 못 들어! 여기 놀러 왔어?!"

"죄, 죄송합니다. 노력하겠습니다!"

"노력이 안 된다면, 어?!"

주위를 힐끗 본 그는 나지막하게 으르렁거렸다.

퍽퍽!

최 전무의 주먹이 풍선처럼 부푼 남성 트레이너의 가슴을 때렸다.

"약물을 더 쓰라고. 팍팍 들어야 손님들도 반해서 PT를 할 거잖아."

이전에는 생각도 못 한 돈벌이 PT.

이게 꽤 짭짤했다.

"월급 받기 싫어? 대회 나가기 싫어? 어?"

헬스장 관장의 추천이 있어야 나갈 수 있는 머슬 대회.

그게 이들의 목줄 중 하나이다.

"죄, 죄송합니다."

"잘하자."

남자 트레이너의 목을 토닥인 그는 센터 옥상으로 향했다.

치이익!

"후우. ……하, 이 씨발 새끼를 어떻게 공사하지?"

하마터면 좌천당하게 만들 뻔했던 놈.

알아보니 유도 영웅이라고 했다.

거기다 경찰 간부후보생.

이쪽도 건드렸다가는 골치 아파진다.

완전히 담가 버리면 모를까.

"카악, 퉤!"

가래를 뱉으며 고개를 든 그는 맞은편 건물을 보곤 고개를 모로 기울였다. 5층짜리지만 옆으로 넓었던 건물. 한 달 전부터 무슨 공사를 하던 건물에 기가 막히고 코가 막힐 문구의 현수막이 걸려 있다.
"저건 또 뭐야?"

신개념! 종합 피트니스 센터. 모든 운동을 한자리에서!
태릉 피트니스! 곧 OPEN!

"씨발?"
그는 다급해졌다.

* * *

늦은 저녁, 지친 몸을 이끌고 지하철역을 나서는 회사원 김나정의 손에 따끈한 풀빵 한 봉지가 들려 있다.
다른 손엔 치킨과 캔 맥주가 든 봉지가 들려 있다.
"……결국 사 버렸어."
다이어트를 해야지, 해야지 하면서도 결국 열어 버린 지갑.
그녀는 튜브처럼 배를 두른 뱃살을 만지며 오늘도 절망했다.
"안녕하세요!"
그녀는 헛숨을 삼켰다.
민소매 밖으로 마치 야생마의 그것 같은 촘촘한 근육을 지닌 남자가 활짝 웃고 있다.
드넓은 어깨에서 이어지는 역삼각형의 진짜 남자 몸매.

그 때문인지 평범한 외모인데도 잘생겨 보인다.

'이, 이런 남자가 왜? 설마 내가 취향?'

남자는 분홍빛 상상에 빠져든 그녀에게 전단지 한 장을 내밀었다.

"저희가 이번에 오픈했거든요!"

'……그럼 그렇지.'

환한 불빛에 고개를 든 그녀는 옆 건물을 보곤 눈을 동그랗게 떴다.

"어머?"

2층부터 벽 전체가 통유리이다.

그리고 2층의 유리 속에 러닝 머신이 가득 늘어서 있다.

뭔가 되게 예뻐 보였다.

그녀는 이 건물의 맞은편을 보았다.

몇 달 전, 세 달 정액으로 등록했다가 PT도 강요하고 너무 힘들어서 환불을 하려 했지만 협박만 받은 헬스장.

그래선지 망설임이 생긴다.

"좋은 거 많은 데 한번 둘러만 보고 가실래요?"

마치 소년처럼 해맑은 미소가 드리워지자 그녀의 입이 자동적으로 열렸다.

"네."

'……하, 나란 여자, 진짜.'

"잘 생각하셨어요! 나 잠깐 안에 다녀올게!"

"어! 빨리 와!"

거리에 진짜 남자들이 더 있다.

자괴감에 퍼덕이며 따라 들어간 그녀는 순간 자신이 호텔에 온 건가 착각했다.

커다란 샹들리에와 상앗빛 대리석의 로비.

한쪽에 '카페테리아(식단관리 문의 환영)'이라는 글자도 있다.

거기서부터 홀리기 시작한 그녀는 어느새 찜질방 옷 같은 운동복을 입은 채 거울 앞에 서게 되었다.

"어? 어어어?"

"괜찮아요. 저희 센터가 회원제로 운영되기는 하는데 처음 방문하시는 방문객님들에게는 하루 운동이 공짜거든요."

김나정은 어느새 자신을 담당하는 여성을 멍하니 봤다.

방금 전 남성과는 다르지만, 탄탄한 팔뚝, 매끈하게 쫙 빠진 다리와 우뚝 솟은 엉덩이, 11자 복근, 잡티 하나 보이지 않는 아기 피부가 김나정의 눈을 어지럽힌다.

"와."

"자, 그러면 오늘 하루 지친 몸을 풀어 볼까요?"

"네? 아, 네."

그게 시작이었다.

스트레칭으로 꽉 뭉친 어깨와 허리 근육을 푼 김나정은 3층의 스쿼시, 4층의 요가, 지하 3층의 수영장, 5층의 사우나 시설에 있는 경락 마사지까지 모두 이용하게 되었다.

"와. 와아."

"어머. 제가 너무 잡고 있었네요. 조심히 들어가시고

혹여 운동할 생각이 드신다면 저희 태릉 피트니스를 떠올려 주세요."

"네? 어? 가요? 그냥 가도 돼요?"

'정말 돈을 안 내도 된다고?'

몇 년 전 서울 입성 전, 친척 결혼식 때문에 묵게 된 5성 호텔에서도 받지 못한 서비스다.

그리고 무려 2시간을 운동하며 땀을 쭉 뺐는데도 아픈 곳이 없다. 그녀가 다이어트 노래를 부르면서도 운동을 하지 않은 이유가 뭐였던가. 헬스장을 그만둔 이유가 뭐였던가.

모두 힘들어서였다.

그런데 오늘은 아니었다.

김나정의 눈빛이 돌변했다.

'이런 운동이라면?'

"그런데 모두 엄청 전문적이신 것 같던데."

"아."

여성 트레이너가 활짝 웃었다.

"저희가 모두 국가대표 상비군 출신이거든요."

수영, 스쿼시, 요가 트레이너 모두.

스쿼시는 테니스 상비군이고, 요가는 체조 상비군이다.

"그래서 저희 센터 이름이 태릉이에요."

"네에?! 사, 상비군이요? 그, 그럼 언니도?"

"네. 유도 48킬로그램 선수였어요."

"그렇게 안 보여요!"

유도 하면 우락부락한 이미지부터 떠오른다.

그런데 눈앞의 트레이너는 마치 패션잡지 속 모델 같다.

"후후. 저도 제 몸이 이렇게 될 줄 몰랐어요."

"네?"

"어떤 친구가 도와줘서 이렇게 된 거예요."

그 어떤 친구는 종혁이다.

종혁이 수석 코치를 맡으며 체계적이고 과학적인 훈련을 도입하자 선수들의 기량이 20퍼센트 이상씩 늘었는데, 그로 인해 진짜 천재와 비천재의 간극이 커져 버렸다.

몇 년 동안 후보조차 등록을 못 한 상비군들은 재능의 한계를 깨닫고 유도를 포기하려 했는데, 이때 종혁이 많은 도움을 줬다.

이번 취직도.

"자기한테 배운 것만 활용해도 충분히 먹고살 수 있다. 지도자 코스를 밟아도 되고, 스포츠 메디컬을 공부해도 좋고, 유도 학원이나 헬스장을 차려도 된다. 그런데 헬스장을 차리려면 보여지는 게 중요하다. 그 말에 헬스장을 차리고 싶어 했던 몇몇 선수들이 그 친구에게 근육 커팅을 해 줬는데……."

"해, 해 줬는데?"

"너무 예쁜 거 있죠? 그래서 저도 막 졸랐어요!"

여자에다 48kg의 애매한 체급이다.

종혁의 말처럼 헬스장을 차리거나 경찰, 혹은 경호원에 지원하는 수밖에 없다.

여타 선수들처럼.

“근데 그거 알아요? 이거 딱 1년 만에 만든 거예요!”
“마, 말도 안 돼!”
“되더라고요.”
여성 트레이너는 아련히 웃었다.
“뭐시여-! 왜 안 된다는 것이여!”
갑자기 로비가 시끄러워졌다.
“회원제라고 사람 차별하는 거여, 뭐여!”
정장을 입은 덩치 큰 남성이 고래고래 소리를 지르자 김나정은 몸을 움츠렸다.
그러나 여성 트레이너는 고개를 저었다.
“양아치 왔네.”
“네?”
“아, 곧 끝날 테니 걱정 마세요.”
그 말처럼 프런트에 있던 한 여성이 핸드폰을 내밀자, 누군가와 통화를 나눈 남성은 하얗게 질렸다.
“예, 예. 아닙니다요. 예, 들어가십시오.”
프런트 직원이 활짝 웃었다.
“어떻게, 회원 등록하시겠어요?”
“아, 아니어라. 다음에 올게요.”
간혹 이런 일이 벌어질 시 본청 특수범죄수사과에 연락을 한다. 그들에 한해서는 회원비가 공짜라서 적극 협조해 주고 있었다.
여성 트레이너는 김나정을 봤다.
“아무튼 이틀에 두 시간, 2년만 투자하시면 저처럼 되실 수 있어요."

"기, 긴데요?"

"대신 먹고 싶은 거 다 먹어도 돼요."

김나정의 눈이 동그래졌다.

"지, 진짜요? 치킨도? 족발도?"

"신체 대사량이 높아지면 삼시 세끼 치킨을 먹어도 소화돼요. 운동선수가 괜히 우악스럽게 먹겠어요?"

"와."

그녀의 눈이 스러질 듯 흔들렸다.

마냥 풀떼기만 먹으라는 맞은편 헬스장과는 완전히 다른 말.

"그, 그러면 가격이……."

"석달에 45만 원이면 모든 시설을 이용할 수 있어요."

"비, 비싸! 아, 아니 안 비싼가?"

보편적으로 헬스장 3달 이용료가 10만 원에서 15만 원이다.

하지만 여긴 호텔보다 더 전문적이다.

그녀의 마음이 갈대처럼 흔들렸다.

그 순간이었다.

웅성웅성.

로비가 다시 소란스러워지자 고개를 든 김나정은 경악했다.

"어? 어어어?!"

"어머, 오빠들 오셨네. 웬일이야? 시윤 씨도 같이 왔잖아?"

저들 다섯 명, 국민 남자아이돌 그룹을 모르는 사람이

있을까.
거기다 같이 온 여성은 2000년 최고의 섹시 여가수이다.
2000년 최고의 핫 아이콘, 성인식의 박시윤.
"저분들 여기 회원이세요?!"
"네."
그 순간 김나정의 눈빛이 돌변했다.
"등록할게요!"
'여긴 무조건 알려야 해!'
종혁이 쓴 치트키가 제대로 먹히는 순간이었다.
그리고 한편, 둘의 대화를 지켜보던 몸매 좋은 여성과 남성은 전단지의 한 문구를 뚫어지게 봤다.
트레이너 상시 모집(월 120 보장. 개별 PT 별개.)
'내 월급의 네 배…….'
2001년 최저 시급 1,865원.
그들이 일하고 있는 피트니스에서는 인센티브를 준다는 명목으로 월급이 30만 원에 불과했다.
인센티브를 합해도 월 60만 원.
이쪽의 기본 월급이 두 배 더 많았다.
반대편에서 보낸 스파이들의 마음이 폭풍처럼 흔들리는 순간이었다.

* * *

어느덧 다시 봄이 왔다.

경찰대학교 교정에도 개나리와 진달래가 폈고, 벚꽃나무 아래에 모인 생도들은 과자와 음료를 즐기며 스트레스를 풀었다.

—크크. 그놈 아주 똥줄이 탈 거다.

"당연하죠."

탄산음료로 부어라 마셔라 하며 기분을 내는 동기들 틈을 빠져나온 종혁은 김종두 과장의 말에 비릿하게 웃었다.

처음부터 끝까지 제대로 세팅했다.

운동기구만 갖춘 그 센터는 버틸 수가 없었다.

알고 보니 사장도 뒤가 구린 인물.

조폭하고 어울리면 그놈도 조폭인 거다.

—그놈 조직도.

"음? 겨우 헬스장 하나 날아가는 것뿐인데요?"

목표로 삼은 전무만 타격을 줄 뿐이지, 전무가 있는 조직에까지 타격을 준다고 볼 수 없다.

—그게…… 푸하핫!

'뭔데?'

—알고 보니 2년 전 대검발 유흥 업소 일제 단속 때 그놈 조직의 업장들이 거의 다 날아갔더라고!

남은 건 나이트 지분 조금과 주류 납품, 유흥 업소와 성인 오락실 몇 개였다.

종혁의 눈이 동그랗게 뜨였다.

'그게 이렇게 이어진다고?'

"잠깐. 업장이 그렇게 쉽게 날아간다고요?"

—종혁아, 대검이 작정하고 때렸다. 요새 빚에 팔려 오는 애들 찾기 힘들어.

즉, 여자 도우미가 없으니 장사를 거의 접었다는 뜻이다.

—강제로 데려온다? 조직 해체되는 거지. 실제로 그때 숟가락 놓은 놈들 많아.

"와."

뽑아도 뽑아도 계속 튀어나와 골머리를 썩게 만들던 잡초 놈들이 뿌리 뽑혔다.

물론 일부일 테지만, 이 정도만 해도 대단했다.

'대검이 움직이니 달라도 다르구나.'

이건 좀 부러웠다.

"그럼 설마?"

—굶어 뒈질 것 같으니까 양지로 기어 나오려고 한 거지. 잘되면 프랜차이즈 하려던 걸 테고. 세상 어느 누가 조폭이 헬스장 운영한다 생각하겠어. 햐, 요새 달건이들 머리 잘 써.

그렇게 하려는데 종혁에게 딱 걸린 거다.

'뭐 이런 우연이?'

놀란 종혁의 눈이 의미심장하게 빛났다.

"그러면 얼마 남지 않았겠네요?"

지난 3개월 동안 손님을 거의 뺏겼다.

궁지에 몰렸다고 봐야 했다.

—양아치 근성 버리지 않았다면 곧이겠지. 문제는 그 시기가 언제냐는 건데…….

자칫 태릉 피트니스 관계자들이 크게 다칠 수 있다.

"아, 그건 걱정 마세요."

—응? ……설마, 너?

"때가 되면 알려 드릴게요."

—허어. 이 빈틈없는 놈.

"하하하."

김종두가 크게 웃었다.

—아, 이건 상관없는 이야긴데 그 가격만 받아서 감당 가능하겠어? 시설이 너무 좋던데?

특수범죄수사과 소속 형사들과 그 가족들까지 무료로 시설을 이용하게 해 주는 것은 너무 고맙지만, 아무리 생각해도 한 달 이용료가 너무 싸다.

45만 원이면 분명 비싼 가격인데, 싸다.

"삼촌. 그 건물 저희 엄마 거예요."

—아.

그 말로 끝이다.

—제수씨, 진짜 수완 좋네…….

벌써 빌딩이 몇 갠지 몰랐다.

—알았다. 그럼 나중에 보자.

"옙. 들어가세요."

전화를 끊은 종혁은 태릉 피트니스가 있는 방향을 보며 입술을 비틀었다.

'이제 곧 끝나겠구먼.'

"종혁아, 뭐 해! 우리가 다 먹는다!"

"어. 가!"

종혁은 동기들을 향해 뛰어갔다.

그의 표정은 무척이나 상쾌했다.

* * *

—내려놔.

회장의 한마디에 모든 게 끝났다.

"씨발—!"

지분이 있는 나이트클럽 관리가 아니다.

주류 납품 관리도 아니고, 유흥 업소도 아니다.

겨우 성인 오락실 하나이다.

17살에 깡패 생활을 시작해 아득바득 여기까지 올라왔는데, 다시 밑바닥부터 생활하게 생겼다.

"뭘 봐! 구경났어?!"

회원 수가 80퍼센트 이상 떨어져서 그런지 그는 더 이상 성격을 숨기지 않았다. 탈의실로 몰려가는 회원들을 노려보던 그는 창가로 걸어갔다.

그리고 태릉 피트니스를 노려보며 핸드폰을 들었다.

'내가 이대로 순순히 물러날 것 같아?'

"난데, 애들 모아 놔. 내일 중으로 철거해야 될 곳이 있으니까."

전화를 끊은 그는 이를 갈며 몸을 돌렸다.

'끝이다, 씨발 새끼들.'

"박 양!"

"네?!"

"오늘 저녁에 따라와. 그동안 명품 백 받아 처먹었으면 그 값은 해야지."

"……."

"왜, 이럴 줄 몰랐어? 건달 돈 받아 처먹었을 땐 다 각오를 했어야지. 어디 오늘도 도망가 봐. 죽여 버릴 테니까."

본 성격을 드러낸 그는 너무 사나웠다.

노란머리 박 양은 오들오들 떨며 도움을 요청했지만, 모두 시선을 피했다. 최 전무의 관심을 받는 동안 그녀가 최 전무의 부인처럼 굴었기 때문이다.

자업자득이었다.

콧방귀를 뀐 최 전무는 헬스장을 빠져나갔고, 암울해진 미래에 낯빛이 어두워진 트레이너 중 몇 명이 서로를 보며 고개를 끄덕였다.

* * *

이젠 차도 돌아다니지 않는 새벽 2시.

멀리서 다가온 봉고차 한 대가 태릉 피트니스 앞에 선다.

드르륵!

마스크를 쓴 채 내리는 덩치 큰 이들의 한 손에 기름통이 들려 있다. 보조석에서 내린 중년인이 불이 모두 꺼진 태릉을 보며 담배를 물었다.

치익!

담배에 불이 붙으며 최 전무의 얼굴을 드러냈다.

"형님, 이거 잘못하면 큰일 납니다."

관할서 형사도 아니고 본청 특수범죄수사과에서 보호하는 곳이다. 조직이 위험할 수 있다.

"좆 까."

'조직은 무슨.'

수십 년 충성을 바쳤는데, 실수 조금 했다고 오락실이란다. 더 이상 충성을 바칠 의미가 없다.

그러나 그걸 부하들에게 말할 순 없다.

'회장의 쁘락지가 있을 수 있어.'

비정한 건달 세계.

믿을 놈은 하나 없다.

"해외로 떠 버리면 김 과장 그 개새끼가 어떻게 알 건데?"

강력반 저승사자로 유명한 김종두.

"어차피 정황 증거만 있을 뿐, 실질 증거는 없어서 회장님에게까지 못 가. 나만 희생하면 돼."

"형님……."

"잠수 타고 올 동안 큰 형님, 아니, 회장님 잘 모시고."

"형님!"

"시끄러워, 새끼야. 사람들 다 깨울래?"

"……."

"후우."

'이 정도면 밑밥은 다 깔았고.'

돌아온다?
아니다.
그는 영원히 한국에 돌아오지 않을 생각이었다.
그래서 헬스장 지분을 아무도 모르게 팔아 버렸다.
그는 비릿하게 웃었다.
"따."
절단기를 가진 사람이 후다닥 달려가 셔터의 자물쇠를 잘랐다.
촤르륵!
올라가는 셔터.
조폭들은 태릉 피트니스 안으로 들어가기 시작했다.
그리고 로비 이곳저곳에 기름통에 든 내용물을 뿌리기 시작했다. 천장에 달린 CCTV의 빨간 눈이 그걸 모두 지켜봤지만, 누구도 신경 쓰지 않았다.
곧 휘발유와 신나 냄새가 로비를 가득 채웠다.
"크, 냄새."
"이제 나가시죠?"
지금 불을 붙였다간 다 죽는다.
그 순간이었다.
위이이이잉!
삐용! 삐용!
"뭐, 뭐야! 무슨 일이야!"
"형님, 밖에 짭새가!"
밖으로 뛰쳐나간 최 전무는 기겁했다.

경찰차들이 맹렬하게 사이렌을 울리며 좌우측 도로에서 달려오고 있다.

빨갛고 파랗게 깜빡이는 사이렌 불빛이 마치 저승사자의 등장 같다. 설상가상으로, 방패를 앞세운 기동대가 좌우측에서 달려오고 있다.

어느새 코앞이다.

끼이익! 끽! 끽!

후다닥!

순식간에 포위되어 버린 그들.

최 전무는 경찰차에서 느릿하게 내리는 김종두를 발견하곤 이를 악물었다.

"이야, 삼겹살. 오랜만이다?"

'저 새끼가 여길 어떻게?'

어디서 정보가 새어 나간 건지는 생각할 겨를도 없다.

그는 노예처럼 다뤘던 트레이너들이 정보를 제공했을 거라곤 생각도 못 하고 있었다.

도망칠 수도 없으니 이제 남은 건 반항뿐이었다.

찰칵!

그는 지포 라이터를 켰다.

"씨발, 오지 마! 여기 불바다 되는 거 보기 싫으면 다가오지 말라고, 새끼들아!"

주황빛 불꽃을 내뿜는 작은 라이터에 경찰들은 주춤 물러났다.

눈을 크게 뜬 조직원들은 다급히 라이터를 꺼냈다.

"오지 마!"
"던져 버린다!"
경찰들은 당황했다.
"과, 과장님, 어쩌죠?"
수십 억짜리 건물이다.
확실한 증거를 확보하고자 기름을 뿌릴 때까지 CCTV로 감시했는데, 자칫 불이라도 났다가는 시말서 정도로 끝나지 않는다.
기동대까지 모두 김종두 과장을 응시했다.
하지만 그라고 딱히 방법이 있을 리가 없었다.
그 순간이었다.
띠리링! 띠리링!
김종두 과장의 전화벨 소리가 소란의 중앙을 갈랐다.
모두가 그를 주목했다.
"예, 예. 김종두 과장입니다!"
─목소리가 급한 걸 보니 불이라도 지른데요? 시위해요?
"종혁아!"
─지르라고 하세요. 화재보험 들어 놔서 괜찮아요.
"……아, 그래? ……그렇단 말이지?"
─네, 수고하세요.
"그래. 힘든 결정 내려 줘서 고맙다."
화재보험을 들어 놨다지만, 몇 달을 영업은 못 할 수 있다.
입술을 비트는 김종두 과장의 모습에 모두가 의아해했다.

최 전무는 갑자기 불길해졌다.
김종두 과장이 확성기를 들었다.
"야, 삼겹살!"
"왜, 씨발! 한 발자국이라도 움직여 봐!"
"던져."
"……뭐?"
"헉! 과장님!"
최 전무는 펄쩍 뛰었다.
"던진다! 진짜 던져!"
"어, 던져. 거기 집주인이 화재보험 들어 놨단다."
"……."
"던지라고, 씨발 새끼야."
최 전무는 마른침을 삼켰다.
방화와 방화 미수.
어느 쪽이 더 중형인지는 깊게 생각하지 않아도 안다.
"……우리 그냥 돌아가면 풀어 줄 거요?"
김종두 과장은 코웃음 쳤다.
"진압해."
"……우아아아아!"
기동대가 방패를 앞세우며 달려들자.
"형님! 어떻게 합니까, 형님!"
협박이 통하지 않았다.
이쪽은 고작 열 명인데, 저쪽은 50명.
하지만 이렇게 잡혀갈 순 없었다.

이럴 때 답은 하나였다.

"……씨발, 제쳐!"

도망쳐야 한다.

"우아아아악!"

한밤에 난투극이 벌어졌다.

* * *

한밤의 소탕 작전. 삼거리파 일망타진!

프랜차이즈 기업화? 진화하는 조폭!

범죄 수익 환수하지 못하나?

특수범죄수사과 또 한 건 하다!

검경의 관심이 필요하다!

어젯밤 있었던 일로 신문이 시끄럽다.

아침 운동을 마치고 씻고 나온 종혁은 피식 웃었다.

"거머리 새끼들, 다시 음지로 들어가겠네."

조폭이 막 프랜차이즈 기업화를 이루려던 시기이다.

실제로 성공한 곳도 있을 정도였다.

그러나 이번 일로 모두 끝났다.

양지로 나오려던 놈들이 양아치 근성을 버리지 못했다는 게 세상에 알려졌으니, 이제부턴 검경의 관심을 가득 받게 될 거다.

한때 제법 세를 위시했던, 회귀 전에도 명맥이 이어졌

던 삼거리파라서 더 예민하게 받아들일 거다.

지금은 유흥 업소 집중 단속으로 망했지만.

그러니 프랜차이즈의 '프'자라도 시도할 시엔 형사들의 방문을 받게 될 터였다.

아쉬운 게 있다면 삼거리파의 재산을 압수하지 못한 것.

하지만 곧 범죄수익은닉의 규제 및 처벌에 관한 법률이 제정되니 달라지게 될 것이다.

지이잉. 지이잉!

"예, 생도 최종혁입니다."

–어, 나야! 일찍 깨운 건 아니지?

국가대표 선배이자 태릉 피트니스의 매니저이다.

"이 시간이면 벌써 운동하고 씻고 밥 먹고 커피까지 마실 시간이죠."

–흐흐. 그렇지?

"무슨 일이십니까?"

–아, 맞은편 애들 어떻게 하냐고.

이번 일에 큰 공을 세운 정보원들.

"교차 검증은 끝났잖아요."

금지 약물을 썼는지, PT 강요를 했는지, 강요도 최 전무의 압박 때문이었는지에 대한 검증이 끝났다.

전원 통과였다.

애초에 최 전무의 협박에 억지로 다니던 이들만 문의를 했었다.

–그럼 가르친다?

"제대로 가르치세요. 분점 내야죠."

종혁은 태릉 피트니스를 여기서 그만둘 생각이 없었다.

반응이 좋으니 더 확장시킬 생각이었다.

"권&박에서도 긍정적으로 생각하고 있어요."

태릉 피트니스엔 권&박 홀딩스도 투자했는데, 이는 종혁의 재력을 감추기 위한 작은 수였다.

-오오, 그럼 다른 선후배들도 기회를 얻는 거잖아! 알았어, 오케이! 수고!

종혁은 끊긴 전화를 보며 옅게 웃었다.

"아, 감독님 지분도 넣어야겠네."

뛰어난 지도자로 명성을 얻었다면 이젠 인망을 얻어야 할 때.

이런 일이 제격이었다.

지이잉!

"예, 생도 최종혁입니다. 예? 아, 예. 바로 가겠습니다."

전화를 끊은 종혁은 피식 웃었다.

"들켰네."

어깨를 으쓱인 그는 옷을 입고 방을 빠져나갔다.

* * *

최기룡 학장은 본청 동기가 연락해 온 소식에 배를 잡고 굴렀다.

'야, 여기 맞은편이 너 운동 다니던 곳 아니냐?'라며 전해 온 소식.

방화 미수로부터 시작된 어느 조직의 일망타진 사건이다.

조간신문도 온통 이번 사건을 떠들어 댄다.

"으하하하핫! 이 골 때리는 자식!"

상황이 딱 그려진다.

"정보 수집을 안 하겠다던 놈이 뭐?!"

아예 범죄를 저지르게 만들었다.

그런데 그 내용이 가관이다.

맞은편에 5성 호텔보다 더 훌륭한 피트니스 센터를 짓고, 손님을 뺏어 최 전무란 놈의 입지를 흔들어 범죄를 저지르게 했다.

신문에선 특수범죄수사과의 실적이라 떠들지만, 최기룡은 안다.

이 사건 처음부터 끝까지 종혁이 설계한 거다.

태릉 피트니스의 지분 70퍼센트가 종혁의 어머니 고정숙 명의니 모를 수가 없다.

"이런 미친 또라이 같은 놈. 고작 조폭 놈 하나 잡겠다고 수십 억을 태워?"

하지만 그래서 마음에 쏙 들었다.

"그렇지! 형사가 범인을 잡으려면 이렇게 돈을 써야지!"

그동안 예산이 부족해 놓친 범인이 얼마나 많던가.

"범인을 잡기 위해서라면 중국집도 인수하고, 이렇게 피트니스 센터도 세우고. 어?"

범인 아지트에 진입하기 위해 창문을 깨야 하는데, 그

창문 값 때문에 벌벌 떨어야 하는 게 어디 경찰인가.

물론 종혁은 많이 과하긴 했지만, 경찰이 범인을 잡는 데 돈에 구애를 받으면 안 된다는 게 최기룡의 지론이었다.

솔직히 이상향은 종혁의 수사 방식이다.

세금 문제 때문에 이상향일 뿐이다.

누구 한 명 다친 사람이 없어서 더 마음에 들었다.

만약 가격 경쟁을 해서 주위에 피해를 줬다면 최기룡은 달리 생각했을 거다.

그건 너무 위험한 사상이니 말이다.

하지만 종혁은 45만 원이란 높은 가격으로 다른 피트니스 센터들이 살 구멍을 열어 줬다. 그쪽에서 정당한 경쟁을 했으면 그만이다.

이건 극단적인 선택을 한 최 전무란 놈이 잘못한 거다.

최기룡의 눈이 욕심으로 번들거렸다.

"정말 제대로 키워 봐야겠군."

마침 그가 청장에 도전할 시기가 종혁이 졸업하고 임용될 때이다. 그의 머릿속에 새로운 그림이 그려지기 시작했다.

종혁을 선두로 세운 그림이었다.

쿵쿵쿵!

"들어와요."

문을 열고 종혁이 들어왔다.

"간부후보생도 최종혁. 학장님께 용무 있어 왔습니다."

최기룡의 낯빛이 삽시간에 굳었다.

"왜 불렀는지 알지?"

'그래. 들키지 않았을 리 없지.'

우연이라 치기엔 상황이 너무 작위적이다.

"학장님."

"말해."

"눈앞에 불의가 있는데도 지켜봐야 합니까?"

최 전무란 놈의 피트니스 센터를 조사해 보니 형사와 평검사, 구청 직원까지 한통속이었다.

정보원들이 말하길 그곳의 거의 모든 트레이너들도 PT 등록으로 고객을 협박하거나 약물 권유, 성폭행을 한 사실이 드러났다.

성폭행은 최 전무의 짓.

나머지 지분을 가진 사장도 최 전무 조직과 관계를 맺은 인물이었다.

말만 조폭이 아닐 뿐 분명 조폭이다.

"경찰이 아닌 사람으로서 지켜볼 수 없었습니다. 하지만 전 분명 경고했습니다."

김종두 과장을 통해 경고를 했음에도 선을 넘은 건 그들이다.

비용을 낮추고, 고객을 성실히 관리했다면 상황이 이렇게까지 오진 않았다.

그쪽도 시설은 고급이었으니 말이다.

"후회는 없습니다."

후회는 없다.

'이 사건으로 당신이 날 안 좋게 봐도 상관없어.'

어차피 경찰 총장의 임기는 2년 정도이다.

그걸 다 채우고 물러나는 총장은 드물다.

'어차피 그 조직을 쫓는 데 지장은 없으니까!'

최기룡이 아무리 경찰 예산 증대에 막대한 영향을 끼친 인물이라고 해도 뜻이 다르면 어쩔 수 없다.

종혁은 단단히 굳은 눈으로 최기룡을 봤다.

그러자.

"아니. 잘했어. 훌륭해."

방금까지 굳어 있던 최기룡의 얼굴에 웃음꽃이 피었다.

"예?"

"잘했다고. 아, 내가 말 편히 해도 되지?"

"아, 예……."

최기룡은 종혁의 어수룩한 모습에 웃음을 터트렸다.

이렇게 사람다운 면모도 있으니 더욱 마음에 들었다.

그는 음흉하게 웃으며 물었다.

"그런데 그런 발상은 어떻게 한 거야? 어?"

'그냥 지른 건데요.'

하지만 그렇게 말할 수 없다.

"아. 마침 상비군 선배님들이 취업이 힘들다기에 아이디어가 번뜩 떠오른 것뿐입니다."

"오. 취지가 훌륭하군. 그런 생각을 먼저 했던 건가?"

"저도 운동선수였다 보니 그런 장소가 있으면 좋을 것 같아서…… 아, 현장에 계신 경찰도 예산이 충분하다면 얼마든지 생각하고 실행에 옮길 수 있는 잔머리 수법일

뿐입니다."

"그렇지! 하지만 경찰엔 그런 예산이 없지!"

그래서 바꾸려는 거다.

경찰이란 조직을 뜯어고쳐서라도 바꾸려는 거다.

'이분도 한이 많으신가 보네. 아, 그래서 예산 증대를?'

그렇다면 이해가 갔다.

혀를 찬 최기룡은 고개를 주억이는 종혁을 보며 눈을 빛냈다.

지금부터 할 이 물음이 정말 중요했다.

"앞으로도 계속 이런 방식으로 수사할 건가?"

종혁은 당연하다는 듯 고개를 끄덕였다.

'범인 잡는 데 돈이 대수일까!'

"어머니께서도 범인을 잡기 위해서라면 얼마든지 가져다 쓰라고 허락하셨습니다."

거짓말이다.

고정숙은 정혁 빌딩을 짓은 이후 본인의 재산이 어떻게 쓰이는지 관심이 없었다. 정혁 빌딩 하나로도 감당 할 수 없는 복을 얻었다고 생각하고 있었다.

하지만 그걸 모르는 최기룡은 웃음을 터트렸다.

"으하하하하핫!"

"음?"

"어흠흠. 이렇게 훌륭한 청년을 키워 낸 사람은 생각부터 다르구먼."

"감사합니다."

'이쪽이 더 감사하지!'

이렇게 되면 그림을 더 다채롭게 그릴 수 있다.

최기룡은 몸이 달았다.

똑똑똑!

"쯧. 잠시만. 들어와요."

문이 열리며 그의 비서가 들어온다.

"일본 경찰대학교에서 공문이 왔습니다, 학장님."

"일본? 아."

들은 기억이 있다.

"생도 연수 프로그램인가?"

한국의 경찰대학은 매해 일본과 미국 등 선진국 경찰대학에 연수생들을 보내어 신식 수사 기법을 배운다.

"그런데 희한하군."

그가 알기로 일본이 먼저 연수를 진행하자고 한 건 이번이 처음이었다.

만날 공문을 몇 번씩 보내야 겨우 받아 주는 이들이 일본이었다.

의아해하며 공문의 페이지를 넘긴 최기룡의 얼굴이 딱딱하게 굳었다.

—2학년 생도 최종혁 외 9인으로 인원을 맞추시오.

종혁은 번뜩 고개를 들어 쳐다보는 최기룡의 행동에 고개를 모로 기울였다.

최기룡이 말없이 넘긴 공문을 받아 든 종혁은 피식 웃었다.

'이거였구먼.'

나탈리아가 말한 일본 유도협회의 수작.

"아, 죄송합니다."

최기룡의 눈이 가늘게 뜨였다.

"알고 있는 일인가 보군."

"아마 설욕전을 하자고 부르는 걸 겁니다."

"설욕전? 유도? ……아."

2학년 간부후보생도인 종혁을 지칭하는 단어는 따로 있다.

유도 영웅.

초살 괴물.

지상 최강의 사나이.

"아니, 잠깐. 뭐?"

최기룡은 화들짝 놀랐다.

일본의 경찰대학교는 한국과 같이 경찰 간부를 양성하는 경찰대학교의 개념이 아니기 때문이다.

소속장 임용 예정자, 간부 승진 예정자, 국가 공무원 채용 시험에 의해 경부보(경위급) 등 간부로 채용된 신임 경찰관 등 각각의 분야에서 필요한 지식, 기능 등의 실무 능력 및 지도 관리 능력을 습득시키기 위한 고도의 교양 기관이다.

즉 그들 중엔 현장 경험이 많은 베테랑 형사도 있단 소리고, 그들로 하여금 종혁을 짓밟겠다는 뜻이다.
순간 열이 머리끝까지 뻗었다.
"아무리 일본 유도협회의 파워가 세다지만, 이게 뭐 하자는 짓이야!"
일본 국기인 유도.
그렇다 보니 유도협회의 파워는 상상 이상이다.
그런 그들이 고작 몇 번 진 것 가지고 애들 싸움을 어른 싸움으로, 아니, 애와 어른을 싸움 붙이려 하고 있다.
"이 쪽바리 새끼들이 진짜!"
최기룡은 공문을 찢기 위해 잡았다.
"됐어! 미국으로 가면 돼!"
종혁이 망가지는 걸 지켜보는 것보다는 미국에 가는 게 훨씬 낫다.
'워우. 화끈하시네.'
종혁은 최기룡을 말렸다.
"왜?"
"뒷장을 보시면 아십니다."
"……."
미간을 좁히며 뒷장을 넘긴 최기룡은 결국 공문을 던졌다.
아니, 그러다 못해 쾅쾅 밟았다.
"이 쌍놈의 새끼들이-!"
'한일 양국 간의 수사 공조가 더 돈독해지기 위해 교류를 요청합니다.'
즉 종혁을 내놓지 않으면 더 이상의 수사 공조는 없단

소리다.

일본에서 한국으로 도망치는 범죄자보다 그 반대인 경우가 훨씬 많은 게 양국의 범죄자 도주 현황이라서 굉장히 치명적이다.

정말 치사한 짓거리였다.

종혁은 방방 뛰는 그를 보며 미소를 지었다.

'이런 스타일이셨나? 마음에 드는데?'

수사 방법이 훌륭하다 말했을 때부터 마음에 들었던 최기룡이다.

종혁은 싱긋 웃었다.

"가겠습니다."

"……아니, 됐어. 가지 마."

최기룡은 단호히 말했다.

종혁의 미소는 더욱 짙어졌다.

"학장님, 제가 이깁니다."

"뭐?"

"매트 위에서 저보다 강한 놈은 없습니다."

"누가 그걸 몰라? 내가 걱정하는 건 놈들이 반칙을 했을 때야."

정식 경기가 아니고, 상대는 온갖 잡수에 능한 베테랑일 게 뻔했다. 종혁이 크게 다칠 수도 있다.

'이놈이 다쳐서는 안 돼.'

앞으로 그가 그릴 그림에 큰 역할을 하게 될 종혁이다.

일본의 잔수에 작은 흠집도 나지 않도록 보호해야 한다.

'청장은 다음에 해도 되지만 이런 놈은 쉽게 안 나와!'

이번 정권이 이어지면 언제든 노릴 수 있는 게 청장 자리이다.

이런 심정을 모르는 종혁은 그의 걱정에 머리를 긁었다.

같은 최씨에, 같은 파라는 건 의미 없다.

최기룡은 경찰 총장을 노리는 인물이고, 미래에 그 자리에 앉는 인물이다.

오늘 일이 그의 발목을 잡을 수 있었다.

그런데도 보호를 하려고 든다.

이유는 알 수 없지만, 왠지 마음이 따뜻해졌다.

"음. 반칙은 제가 더 잘하는데……."

베테랑 형사가 상대다?

이쪽도 베테랑이다.

그것도 형사 생활만 26년 한.

"뭐?"

종혁은 짓궂게 웃었다.

"제가 왜 초살인 줄 아십니까?"

"……아니 설마? 허?"

"그게 아니라 반칙엔 반칙으로 상대하기 때문입니다. 특히 일본 선수들이 반칙을 많이 하더군요. 주먹으로 치고, 쇄골을 누르고, 팔을 꺾고, 발목을 차고."

"뭐야?!"

"똑같이 갚아 줬으니 걱정 안 하셔도 됩니다."

"아, 그러고 보니."

종혁과 상대한 일본 선수들이 경기가 끝나면 엄살을 떨었던 게 생각이 난 최기룡은 헛기침을 하며 자리에 앉았다.

종혁은 그런 그를 향해 쐐기를 박았다.

"학장님, 별거 아닌 놈들에게 꼬리를 말았단 소리를 듣고 싶진 않습니다."

최기룡의 눈이 가늘게 뜨였다.

"정말 자신 있어?"

"정신 승리조차 못하게 만들겠습니다."

"정신 승리? ……아. 으하하하핫! 그렇지. 그놈들이 그런 걸 좀 잘하지!"

한바탕 웃음을 터트린 최기룡은 사납게 웃었다.

"누를 거면 확실히 눌러 버려. 뒤는 내가 봐줄 테니까."

혹여 생길지도 모를 걸림돌을 치워 준다?

더 예뻐할 자신이 있었다.

오늘 이 상황이 비록 종혁 때문에 일어난 일이라고 할지라도 말이다.

이건 시비를 건 일본 유도협회가 잘못이었다.

'오?'

"그건 걱정 마십시오. 저만 보면 치를 떨게 할 테니."

종혁도 사납게 웃었다.

* * *

생도 연수 프로그램은 보통 교육이 어느 정도 진행된 3

학년과 4학년 중에서 뽑는 게 원칙이다.

그런데 이제 막 2학년이 된 종혁이 참가한다.

이에 3, 4학년은 불만을 드러냈지만, 최기룡이 나서서 설명하자 모두 한마음 한뜻이 되었다.

'뭐?! 공조 수사를 걸고넘어져? 이 자식들이!'

최기룡은 뒤를 봐주겠다는 말을 지켰다.

"종혁아, 뭐해! 쉬어, 쉬어!"

"그래. 무거운 걸 왜 들어!"

"아니 이런 건 제가 해야……."

이 시기, 후배가 선배 짐을 드는 건 당연한 일이다.

"어허! 큰일 해야 될 사람이 이런 작은 일 하는 거 아니야. 뭐 해? 각자 짐은 각자 들어!"

"예!"

순식간에 짐들을 뺏긴다.

종혁 본인의 짐도 뺏겼다.

졸지에 맨몸이 된 종혁은 입맛을 다시며 김포공항의 전경을 훑었다.

지난 5년 동안 국제 대회까지 합하여 수십 번 와 본 김포공항.

이젠 낯설지도 않았다.

"뭐야. 너희 때부터 선후배 수발 문화 타파하기로 한 거야?"

임성원 의원, 아니, 임성원 교수가 다가온다.

이번 프로그램의 인솔자이다.

그는 각자 본인의 짐을 드는 생도들을 흐뭇하게 보았다.

"그래, 이제 타파할 때가 되긴 했지."

아니었지만, 교수가 칭찬하니 모두 입을 다물었다.

임성원 교수는 종혁을 봤다.

그도 최기룡에게 사정을 들었다.

'이 개놈의 쉬키들!'

애를 어른과 싸움 붙이려는 일본의 작태에 그도 열이 받았다.

"자, 모두 주목. 옷매무새 정리하고."

경찰 간부후보생도는 어디서나 바른 모습을 보여야 한다.

교칙이다.

"긴말 안 하겠다. 너흰 대한민국의 자랑스러운 경찰 간부후보생이다. 어느 순간, 어느 장소에서도 이걸 잊지 말도록."

"예!"

"그래, 가자."

그렇게 그들은 일본으로 향했다.

* * *

일본어를 할 줄 아는 생도들로 뽑았기에 입국은 순조롭게 끝났다.

"어서 오십시오. 일본 최고의 경찰 간부 양성기관에 오신 걸 환영합니다. 경시청 간부들이 이곳에서 배출되죠!"

제복을 입은 사십대 사내가 양팔 벌려 맞이한다.
경시청.
일본에선 권위와 영향력이 따를 곳이 없다는 수사기관이다.
연쇄살인 정도는 돼야 모습을 드러내는 수사기관.
'저 청년이 최종혁?'
일본 유도계의 적.
하지만 이젠 덫에 걸린 사냥감에 불과하다.
21살 어린 청년을 만신창이로 만들어야 하는 게 미안하지만.
'우리를 위해 희생해라!'
일본 유도의 명예 회복을 위해.
'얼씨구? 숨길 생각을 안 하네?'
지금 누가 화를 내야 하는데.
종혁은 뜨거운 시선에 어이없어했다.
임성원은 불쾌해지는 마음을 숨기며 손을 내밀었다.
"한국 경찰대학교의 교수 임성원입니다."
"아, 반갑습니다. 사이토 하지메입니다."
인사를 나누는 그들에게서 시선을 뗀 종혁은 주위를 둘러봤다.
'흠.'
깨끗한 건물들이 눈에 띈다.
회귀 전에는 와 보지 못한 곳이라 눈길이 절로 갔다.
"일단 숙소부터 안내해 드리겠습니다. 나머지 안내는

짐을 푸신 후 하겠습니다.”

그렇게 기숙사로 안내한 안내자는 방문을 활짝 열며 환하게 웃었다.

“여기가 앞으로 여러분이 숙박할 공간입니다. 올해 지어진 신식 건물이지만, 한국에서 오신 여러분을 위해 특별히 제공하는 것입니다!”

정말로 신식이라는 태가 났다.

벽에는 파스텔 톤 벽지가 발려 있고, 장판 대신 마룻바닥이다.

개인 화장실까지 딸려 있어서 돈을 쓴 티가 팍팍 났다.

‘음, 우리랑 별반 다를 게 없는데?’

개인 화장실이 있는 것까지 다를 게 없다.

오히려 안에 있는 가구들이 좀 작지 않나 생각될 정도다.

하지만 이런 종혁과 생도들의 생각을 눈치채지 못한 안내자는 자부심 가득한 미소를 지었다.

“귀한 손님인 여러분들을 위해 이 층 전체를 빌렸으니 편히 쉬십시오. 그럼 두 시간 후에 뵙도록 하겠습니다.”

뚜벅뚜벅!

임성원 교수는 멀어지는 안내자를 일견하며 생도들을 봤다.

“들었지? 마음 맞는 사람들끼리 짝지어서 들어가.”

“옙!”

크게 대답한 그들은 동시에 한 사람을 봤다.

종혁이다.

“자, 일단 종혁이가 방 하나 골라잡아! 어차피 이 층 전체를 빌려준다잖아!”

“예? 제가 말입니까?!”

“아, 저 방이 좋겠네. 자자, 들어가시고.”

4학년 대표가 등을 떠밀자 종혁은 ‘어? 어?’ 하다가 방에 들어갔고, 등 뒤로 문이 닫혔다.

쿵!

남겨진 종혁은 눈을 껌뻑였다.

“……이거 진짜 이겨야겠네.”

안 그래도 이기려 했지만, 이겨야 할 이유가 하나 더 늘었다.

피식 웃은 종혁은 짐을 풀고 침대에 누웠다.

“……작네.”

정강이 반절이 침대 밖으로 빠져나갔다.

아무래도 일본 평균 신장에 맞춰 제작된 것 같았다.

한숨을 쉬며 일어난 종혁은 옷을 갈아입고 스트레칭을 했다.

좁은 이코노미를 타고 왔더니 몸이 찌뿌둥했다.

* * *

“후후. 벌써 시간이 됐군. 이제 그놈도 정신을 차리겠지?”

“저희 형사들이 제대로 가르쳐 줄 겁니다.”

경찰이 되어 치열한 현장을 거친 엘리트 유도 선수들 가운데, 소수만 가는 곳이 경찰대학이다.

거기다 오늘을 위해 강력반 형사들도 고르고 골랐다.

"어쩌면 무서워서 다음 올림픽에 나오지 않을 수도 있죠!"

"으하하핫! 그래 주면 좋지!"

일본 유도협회 임원들은 지금 그곳에서 어떤 참극이 벌어질지도 모른 채 웃음을 터트렸다.

* * *

두 시간이 흐르자 안내자 사이토 하지메가 도착했고, 그들은 건물 투어를 시작했다. 깔끔하고 대학 교정 같은 시설에 종혁은 눈을 빛냈다.

특히 서양 대학처럼 반원형의 강의실이 종혁의 눈길을 잡았다.

'이런 데서 공부하면 공부할 맛이 나겠는데. ……강의실도 하나 지어?'

종혁은 진지하게 고민했다.

"이곳이 저희 경찰대학교의 자랑 무도관입니다! 이곳에서 저희 일본의 경찰 간부후보들이 무도에 관한 함양을 기르죠!"

"핫!"

"흐아앗!"

안에서 터져 나오는 기합 소리가 우렁차다.

안내자의 입가에 음흉한 미소가 맺혔다.

"오. 벌써 오후 운동 시간인가 보군요. 한번 들어가 보실까요?"

임성원 교수와 3, 4학년들이 종혁을 본다.

너무 눈에 띄는 수작이라 모두 눈치를 챘다.

종혁은 푸근히 웃었다.

"왜 날 봐요. 들어가 보자고 하잖아요. 와, 일본 형사들이 얼마나 절도 있을지 기대되는데요?!"

능글맞은 종혁의 말에 안도한 그들은 웃음을 터트리며 안내자를 따랐다.

"흐아압!"

콰앙! 터엉!

유도복을 입은 이들에게서 뿜어지는 열기가 그들을 강타한다.

"오."

종혁에겐 익숙한 광경이다.

그런 그에게 오십대 초반의 인물이 다가왔다.

팔뚝이 통나무처럼 단단해 보였다.

"오랜만이군."

"어…… 나카무라 감독님?"

올림픽에서 만난 일본 유도 감독이다.

중년인은 얼굴을 와락 구겼다.

'건방진!'

"기타무라 류이치다."

"아, 맞아. 그런 이름이었지. 죄송합니다. 타국 일엔 관심이 없어서. 그래도 이야, 반갑습니다. 감독님을 여기서 뵐 줄은 몰랐네요."

종혁은 당신이 왜 여기 있냐는 눈빛을 보냈다.

"이곳에서 유도를 가르치지."

"오오. 역시 국대 감독님은 달라도 다르구나."

"내가 가르쳐서 하는 말은 아니지만, 수준이 높지?"

종혁은 고개를 끄덕였다.

그들 수작에 어울려 주려는 게 아니라 기술들이 하나같이 날카롭고, 살기가 등등하다.

"일본 유도의 정수는 모두 이곳에 키워지지."

"그래 보이네요."

"어때? 한번 어울려 보는 게."

"제가요? 에이. 제가 그럴 깜냥이 되나요."

"한국 유도 영웅이?"

"어휴. 그런 말 마세요. 운이 좋은 거죠."

종혁은 일단 사양했다.

하지만 감독은 종혁을 놔줄 생각이 없었다.

"다들 주목-!"

쩌렁쩌렁한 외침에 모두 하던 일을 그만두고 집중한다.

"한국 경찰대에서 연수를 받으러 왔다! 한국 경찰들의 무술 실력이 얼마나 대단한지는 다들 알지? 이번 기회에 교류를 나눠 보는 건 어떤가!"

"좋습니다!"

"오오!"
미리 이야기된 듯 대다수가 환호한다.
"아니?!"
임성원 교수가 다급히 나섰다.
이미 각오한 일이지만, 일이 너무 급하게 진행되고 있다.
이쪽의 의사도 무시한다.
이건 항의해야 했다.
하지만 종혁이 그런 그를 막았다.
"괜찮습니다, 교수님. 전 괜찮아요."
"최종혁 생도!"
"정말…… 괜찮다니까요."
푸근히 웃는 종혁의 눈알이 사납게 번들거린다.
'이 새끼들 봐라?'
개수작도 이 정도면 일품이다.
'몸을 풀길 잘했군.'
심장을 찌르는 살의에 임성원 교수는 화들짝 놀랐다.
'선수 최종혁은 이런 인물이었나?'
왜 18세부터 국가대표 주장이 되고, 수석 코치라 불렸는지 이젠 알 것 같다.
그는 고개를 끄덕이며 물러섰다.
"다치지 마라."
"제가요?"
코웃음 친 종혁은 류이치 감독에게 다가갔다.
"어이구. 이렇게 반겨 주시니 발을 뺄 수도 없네요. 어쩔 수 없죠. 도복 좀 빌려주실래요?"

"오! 역시 한국 유도 영웅답게 호탕하군!"

"하하."

감독이 손짓하자 한 사람이 마치 준비하고 있었다는 듯 비닐 백에 든 유도복을 들고 왔다.

"탈의실은……."

종혁은 무시하며 그 자리에서 옷을 벗었다.

훌렁!

"헛?"

"음."

신장 194cm, 체중 132kg, 체지방율 8퍼센트 이하.

스테로이드가 단 1mg도 들어가지 않은 내추럴의 극한.

수십 번 꼰 와이어로만 빚은 것 같은 근육은 공포가 들 만큼 기괴하면서도 아름답다.

'몸이 더 커졌어! 옷을 입고 있을 때는 몰랐는데!'

류이치 감독의 눈이 파르르 떨린다.

무도관에 모인 경찰 간부후보들도 당황한다.

느릿하게 유도복을 입은 종혁은 매트에 올라가 양 무릎을 꿇고 고개를 숙이며 예의를 갖췄다.

이제부터 박살 날 저들을 향해.

짧은 묵념을 마친 종혁이 류이치 감독을 봤다.

"시작하시죠."

"오, 선봉으로 나서려고?"

'그럼?'

뒤에서 지켜봤다가는 선배들이 모두 박살 난다.

경찰 조직의 기둥이 될 그들이 다치는 꼴을 볼 순 없었다.

"몸이 달아서요."

"허헛. 우리 경찰대 유도는 실전을 지향하는데 괜찮겠나?"

대놓고 반칙을 하겠다는 말이다.

종혁은 활짝 웃었다.

"저도 그런 거 좋아합니다. 솔직히 그냥 대련은 밍밍하죠."

류이치 감독은 이를 악물었다.

'한마디도 지지 않다니! 정말 건방지구나!'

"……이하라!"

"옛!"

족히 140kg은 되어 보이는 거구가 걸어 나온다.

나이는 삼십대 중반. 거친 피부와 볼에 길게 그어진 흉터는 그가 어떤 수라장 같은 현장을 거쳤는지 말해 준다.

나머지 사람들이 매트 귀퉁이로 물러서서 무릎을 꿇고 앉으며 링을 만들었다.

이하라는 살벌하게 웃었다.

"좋은 경기를 부탁하지."

적의를 숨기지 않는 그의 모습에 종혁은 해맑게 웃었다.

"저 역시."

"시작!"

하앗!

기합을 넣은 둘은 서로를 향해 달려들었다.

퍼퍼퍽! 퍼억!

깃 싸움 중 옷깃을 낚아챈 주먹이 가슴에 꽂힌다.

"음."

'공수도?'

짧은 거리에서 타격했지만, 가슴뼈를 부러트릴 듯 힘이 실렸다.

이런 주먹질은 종혁이 알기로 공수도밖에 없다.

"애송이. 사심은 없어."

빼드렁니가 고약한 냄새를 풍겼다.

'진짜로 해보겠다는 건데…… 그럼 나도 진짜로 해 주지.'

종혁의 눈에 살의의 불꽃이 튀었다.

"어. 나도."

빠악!

종혁의 발이 상대의 발목을 부숴 버릴 듯 후려쳤다.

유도의 기술이라기보단 킥복싱의 그것.

'그런 건 너만 할 줄 아는 게 아니야!'

"크악?!"

상대는 옆으로 붕 떴다가 바닥에 떨어졌다.

그 믿지 못할 광경에 모두 벌떡 일어났다.

"유, 유효!"

"큭!"

"뭐 해? 일어나."

"이 새끼가?!"

맞을 거라 생각 못 했는지 선불 맞은 멧돼지처럼 달려든다.

팔을 끌어당긴 종혁은 그대로 꺾으며 매쳤다.

뿌득!

팔꿈치에서 나는 이상한 소리와 순간 보이는 천장에 이하라는 입을 떡 벌렸다.

콰앙!

"……하, 한판!"

정적이 무도관에 내려앉는다.

"우와악! 최종혁!"

"10초! 초사알-!"

"끄으윽!"

"이하라!"

류이치 감독이 다급히 이하라의 팔꿈치를 살폈다가 한숨을 내뱉었다.

다행히 인대가 살짝 놀랐을 뿐이다.

류이치 감독이 찌릿 노려봤다.

'뭐? 어쩌라고?'

목을 꺾은 종혁은 눈을 부릅뜨는 일본인들을 보며 천연덕스럽게 말했다.

"어. 너무 쉽게 끝났는데, 더 상대해 줄 분 없나요?"

일본의 경찰 간부후보들은 팔꿈치를 붙잡은 채 떨고 있는 이하라의 모습에 분노를 터트렸다.

"내가 나가지!"
"아니. 내가!"
종혁은 그런 그들을 보며 입술을 비틀었다.
'그래. 다 들어와.'

* * *

콰앙! 터어엉! 뿌득!
업어쳐지고, 메쳐지고, 관절이 꺾이고, 목이 졸린다.
나가떨어진 사람들 전부 저마다 신체 한 부위를 붙잡은 채 끙끙거린다.
예상한 것과 전혀 다른 풍경에 일본 경찰들의 낯빛이 어두워지고, 임성원 교수와 한국 생도들은 좋아서 어쩔 줄 몰라 한다.
"이야. 역시 실전을 겪은 분들은 다르네요. 많이 배웁니다."
시작할 때만 해도 종혁을 손봐 줄 생각으로 가득 찼던 류이치 감독은 연신 식은땀을 훔쳤다.
고르고 고른 100kg 이상이 모두 나가떨어졌다.
그 숫자만 무려 20명.
이제 남은 건 그 이하 체급뿐이다.
"조, 조금 쉬었다 하는 게 어떻겠나. 응? 자네도 지쳤을 텐데!"
류이치 감독은 다급했다.

일단 이 자리부터 해산시켜야 했다.

'싫은데?'

"에이. 이제야 몸이 좀 풀리는 것 같은데, 뭘요. 전 더 할 수 있습니다!"

종혁은 크게 외쳤다.

"다으음-!"

일본 경찰 간부후보들과 형사들이 슬그머니 시선을 피했다.

종혁은 그걸 보며 비릿하게 웃었다.

'이것들이 어디서 까불어?'

참교육은 이제부터 시작이었다.

(회귀 경찰의 리셋 라이프 5권에서 계속)